¿QUÉ ES LA REENCARNACIÓN?

• *Colección Arcana* •

Michel T. Ardan

¿QUÉ ES LA REENCARNACIÓN?

EDICOMUNICACION, S.A.

¿Qué es la reencarnación?

Diseño de Cubierta: Ali Garousi

Edita: Edicomunicación, S. A.
Las Torres, 75.
08033 Barcelona (España)

Impreso en España /Printed in Spain

I.S.B.N: 84-7672-404-7
Depósito Legal: B-6601-92

Impreso en:
Limpergraf s.a.
Del río, 17 - nave 3
Ripollet (Barcelona)

PREFACIO

Mucho se ha escrito y hablado de la reencarnación en diversos libros.

Las opiniones sobre el tema, aunque no siempre idénticas, terminan comulgando en la idea de que la existencia humana tiene un sentido que trasciende a la vida.

Por supuesto que no es la única teoría esotérica que nos habla de un más allá de la vida, pero sí es la única que le da un sentido a cada vida, a cada existencia en el plano material.

Una sola vida no basta para aprender, al menos no en la mayoría de los casos.

Un solo libro sobre la reencarnación no basta para desvelar sus misterios.

Pero qué es lo que este libro puede ofrecerle al lector, ya sea instruido o interesado en el tema, además de corroborar la teoría de que hay más vidas que ésta.

Pues bien, lo que este libro intentará en las siguientes páginas no es otra cosa que llevar claridad y racionalidad, dentro de lo posible en un tema de estas cualidades, sobre la reencarnación.

Para ello he cotejado las diferentes ideas que hay sobre el tema y he añadido mi visión y experiencia personal sobre el tema, evitando claves y oscurantismos sobre el mismo, viéndolo todo desde una perspectiva normal, con las ideas y cuestionamientos que cualquier persona se podría hacer sobre la reencarnación, con una objetividad que se puede encontrarse en cualquier persona.

Yo no soy un maestro ni pretendo serlo, al contrario, soy una persona más que ha tenido ciertas experiencias y que desea compartirlas, por medio de estas obras, con la mayor gente posible, porque creo que en el fondo, y exceptuando a los iluminados y fanáticos de siempre, todos pensamos más o menos lo mismo sobre estos temas.

Por muchas o pocas experiencias que se tengan al respecto, es tan imposible dejar de dudar como dejar de creer en cualquier cosa que apunte hacia una trascendencia de nuestra persona.

Incluso los maestros iluminados han sentido miedo a la hora de su muerte. Nadie se muere a gusto. De una o de otra manera todos nos aferramos a la vida.

De poco o de nada nos sirve recordar si fuimos lamas o panaderos en nuestra vida pasada, seguimos sintiéndonos inciertos ante el final de la vida física.

La certeza de un más allá real nos tranquiliza, pero no abate todos nuestros temores ante la muerte. Yo he tenido estas experiencias y estoy tranquilo, pero mentiría si dijera que no temo a nada, que no dudo. Y creo que la mayoría de la gente se encuentra en mi caso.

En suma, que lo que este libro ofrece sobre el tema es, sobre todo, sinceridad. Porque la sinceridad es el mejor camino para comprender las verdades, y el mejor sendero para que escritor y lectores se entiendan correctamente.

No hay nada más lejos de mi ánimo que adoctrinar a la gente. No sé si tengo la razón o si carezco de ella, simplemente expongo lo que pienso en base a lo que he sentido y vivido, porque creo muy posible, aunque sea difícil de probar, que mi existencia ha transcurrido, transcurre y transcurrirá, con diversos cuerpos y diferentes personalidades, pero con una misma esencia vida tras vida, hasta que llegue el día en que no tenga que reencarnar más.

Michael T. Ardan

INTRODUCCION

La mayoría de los niños, cuando empiezan a hablar con cierta fluidez, relatan historias algo extrañas, historias que los padres escuchan con fascinación o desprecio.

En estas historias, los niños hablan de "cuando eran grandes", de "cuando eran nuestros padres o abuelos", etcétera.

Y nosotros los escuchamos pensando que desean hacerse mayores antes de tiempo, pero raras veces se nos ocurre que podrían estar hablando de vidas pasadas, vidas en las que les había tocado jugar otro papel. Es decir, que no se nos ocurre que nos estén hablando de reencarnación.

Además, los niños tienen un sentido de permanencia, un sentido de eternidad que les impide concebir que hayan pasado cosas antes de su nacimiento. Y, de la misma manera, su sentido de eternidad les impide concebir que algún día morirán y desaparecerán de este mundo.

A medida que el niño se va haciendo mayor, va perdiendo la mágica inocencia de fabular cosas extrañas y comienza a hablar de las cosas que rodean su vida infantil. Y así seguirá hasta que se haga mayor, racionalizándolo todo.

No importa que en alguna etapa de la vida creamos firmemente en una religión, en el misticismo o en una idea esotérica cualquiera, el espejo de la realidad se encargará de devaluar nuestros conceptos sobre el más allá, sobre el espíritu o sobre Dios.

Lo razonable y lo tangible, se opondrán siempre a lo intangible.

Sólo al llegar a la ancianidad se vuelve a penetrar verdaderamente en el mundo mágico de los niños, en ese mundo dónde la razón y la materia no pasan de ser anécdotas y en el que se recupera el sentido de eternidad y trascendencia por la cercanía de la muerte.

No hay duda alguna, los niños y los ancianos son los que más cerca están del más allá, unos porque acaban de llegar y los segundos porque están a punto de partir.

Sí, en los niños y en los ancianos podemos descubrir los rasgos de la reencarnación y el más allá de una manera directa, sólo hace falta que les pongamos un poco más de atención.

Los pueblos orientales siempre han puesto mucha atención a sus niños y a sus ancianos, y quizá sea por eso que de ellos parta la idea más clara de la reencarnación.

Pero, ¿qué es la reencarnación?

La reencarnación es la reincorporación del alma a un nuevo cuerpo.

Y la idea fundamental de la reencarnación es que el alma, al morir el cuerpo material, se eleva al mundo espiritual para volver más tarde al mundo material dentro de un nuevo cuerpo, dentro de un recién nacido.

Esta no es la única idea sobre la reencarnación, pero nos servirá de base para entender las otras ideas que expondremos en el presente libro.

CAPITULO PRIMERO

BREVE HISTORIA DE LA REENCARNACION

Las interrogantes del hombre

Al hablar de reencarnación no podemos dejar de lado las interrogantes esenciales del hombre:

¿Quién soy?

¿De dónde vengo?

¿Adónde voy?

Interrogantes de difícil repuesta, a las que se suman otros dilemas:

¿Qué hago aquí?

¿Dónde estoy?

¿Por qué he nacido?

¿Por qué he de morir?

¿Fui alguien antes de nacer?

¿Seré alguien después de morir?

¿Qué sentido tiene vivir si he de morir algún día?

¿Qué sentido tiene todo esto?

La idea de una vida espiritual después de la vida material ha conformado a muchas culturas.

Los castigos o premios del más allá, dependiendo de la mala o buena conducta durante la permanencia en la tierra, le da un sentido a la vida.

La civilización primero, y la ciencia después, nos han dado el sentido de ubicuidad: pertenecemos a una familia, a un pueblo, a una nación, a un planeta; tenemos una identidad, una personalidad, unas habilidades y unos defectos.

Pero no todos han visto la existencia desde la misma perspectiva.

Una sola vida material y una sola vida espiritual no ha sido suficiente para muchos pueblos.

Una condena eterna por los pecados de una sola vida les parecería un castigo injusto, exagerado y desproporcionado.

Pero el nacer, vivir y morir varias veces, recorriendo un camino distinto en cada vida, les parece más correcto.

¿Cómo aprender una ciencia y un arte milenarios si no se vive varias veces?

¿Cómo presentarse en el cielo siendo impuro e ignorante?

Sólo reencarnándose varias veces, desde este punto de vista, se puede lograr la perfección.

Algunas culturas, han pensado en una reencarnación en otros mundos tan materiales como el nuestro.

O en la reencarnación en animales, plantas o cosas, ya sea por castigo o por el sentido de volver a la tierra.

O en la simple reencarnación en un mundo ideal, paradisíaco, en el que ya no hay penas, fatigas ni muerte.

En suma, que ninguna cultura ha dejado de responder, a su manera, las interrogantes fundamentales del hombre.

Ningún pueblo ha vivido sin un pensamiento mágico, espiritual o religioso.

En todas la latitudes se han levantado las voces para hablar de la existencia de un más allá, con el fin de darle un sentido a nuestra existencia.

Y de entre todas las voces, una parece responder más a nuestras necesidades espirituales, la que ha clamado desde tiempos inmemoriables por la reencarnación.

Hinduismo

Al hablar de reencarnación no se puede soslayar a los precursores de la teoría: los hindúes.

Pero lejos de lo que se cree en los círculos esoteristas, la India milenaria no siempre ha sido partícipe de la teoría de la reencarnación.

Los diferentes movimientos religiosos que han influido en su cultura han sido varios, incluso hoy en día existen diversas tendencias religiosas.

Lo que sí podemos decir es que el pueblo indio, en su inmensa mayoría, es un pueblo religioso.

Desde los indoarios hasta los gitanos del Punjab, desde los adoradores de Shiva hasta los seguidores del Islam, los indios viven la religión en una mística diaria. Y esto parece ser así desde el principio de los tiempos.

Pero la idea de la reencarnación, según Alain Daniélou entre otros, no aparece en la India junto al shivaísmo ni junto al vedantismo, sino que se manifiesta tardíamente en el jainismo, de donde pasa al budismo (que tampoco contempla la reencarnación en un principio), para volver a las "modernas" creencias del pueblo indio.

Para el shivaísmo, por ejemplo, la inmortalidad no existe. Y si la inmortalidad no existe, el planteamiento de la reencarnación y la evolución espiritual quedan fuera de lugar.

Los seres humanos no son otra cosa que un capricho, una fantasía de Shiva, un juguete intrascendente de su estado de ánimo.

Cualquier cosa que vaya en contra de la libertad creadora y destructora de Shiva, incluido el karma, es una ofensa contra su total omnipotencia.

Krishna, una especie de mesías al estilo hindú, reconoce la reencarnación, según el *Bhagavad Gita*, al referirse al cuerpo humano como una vestimenta que ha de ser desechada por el *jiva* para reencarnarse en un nuevo cuerpo.

Muchos traductores traducen *jiva* por alma, pero el sentido oriental del *jiva* es muy distinto a la concepción occidental del alma o del espíritu, a pesar de la orientalización del esoterismo occidental, propugnado en los últimos cien años por gente como Madame Blavatsky.

Otra palabra tomada como "alma" o "espíritu" por los occidentales, es el *atman* hindú. Pero tampoco el *atman* corresponde a nuestra idiosincracia religiosa.

Jiva es el principio vital que existe mucho antes y mucho después que el hombre. Su nacimiento nada tiene que ver con el nacimiento de la persona, porque existe desde hace mucho tiempo y ha muerto y renacido varias veces hasta que le llega el momento de encarnarse en la tierra y manifestarse con cuerpo humano.

Atman es la esencia innominada que trasciende todas las formas de existencia, pero recibe este nombre cuando reside temporalmente en el ser humano. Es decir, que el *atman* es el mismo

Brahma manifestado en los hombres como esencia divina, pero no como personalidad, espíritu o alma humana, entre otras cosas porque el *atman* nunca es individual ni personal; el *atman* no pertenece al hombre, sólo se compromete con el curso de las diferentes existencias humanas por un breve espacio de tiempo.

Precisamente cuando el *atman* se compromete con el curso de la vida humana, se convierte en *jiva*, el principio vital que reencarna de cuerpo en cuerpo, desde su primera manifestación hasta la última, adquiriendo el rasgo de individualidad en cada una de ellas, rasgo que abandonará cuando vuelva a ser sólo *atman*, es decir, cuando deje de estar comprometido con el curso de la vida humana, para ser nuevamente sólo Brahma, la esencia eterna sin principio ni final, y, por supuesto, sin ningún rasgo de personalidad, ego o individualidad humana.

Mahavira, que de grande fundaría el jainismo, en la ilustración de un manuscrito del siglo XV junto a Trisala, su madre.

Samsara, el curso común

El hinduismo evolucionó sus ideas religiosas y, con el tiempo, el *jiva* llegó a considerarse como un alma individual proveniente del *atman*, o alma universal de la que todas las almas proceden.

Al considerarse el *jiva* como alma individual, se hizo una pequeña concesión al ego humano, tan ávido de trascendencia, y la teoría de la reencarnación hecho raíces entre el pueblo indio.

Esta concesión le permite al ser humano imaginarse más o menos inmortal, más o menos trascendente mientras dure el *samsara*, es decir, mientras dure el curso común de la existencia.

Dentro del *samsara*, el *atman* puede ser considerado como una línea continua donde se manifiestan las diferentes almas individuales en diversos cuerpos, permaneciendo durante un largo período de tiempo, casi una eternidad, vida tras vida y muerte tras muerte.

De esta manera, el hombre tiene la ilusión, *maya*, de la existencia personal y de la trascendencia de su propio ser en una perpetuidad que durará mientras el *jiva* siga manifestándose en sucesivos cuerpos. Esta ilusión de la reencarnación que conlleva la ilusión de la trascendencia y la evolución espiritual, pero ilusión al fin y al cabo, terminará igualmente cuando el *jiva* se reúna con el *atman* nuevamente.

Este es el *samsara*, el curso común de la existencia humana, que con reencarnación o sin ella, sigue siendo en el fondo poco más que un capricho divino, un don temporal de Brahma.

Pero nada de esto debería de impresionarnos si recordamos que el hinduismo contempla un fin de los tiempos para todas las cosas del universo, así como para el universo mismo, porque todo en este universo es mortal y perecedero, incluso el mismo universo, todo es *maya*.

Dentro de este sentido fatalista del universo, donde todo es *maya* y perecedero, la reencarnación viene a ser como un bálsamo que estira la ilusión de la existencia y la trascendencia a través de diversas vidas y cuerpos, y es eso precisamente lo que hemos adoptado los occidentales de la teoría de la reencarnación: la ilusión de que vivir 20 vidas en lugar de una es un síntoma de eternidad y de verdadera trascendencia que nos permitirá disfrutar de todos nuestros egos cuando el universo material se desvanezca.

Los hindúes son más humildes en este aspecto y no esperan más que unas cuantas vidas antes de dejar de existir individualmente para siempre, porque para ellos el *samsara* está sólidamente relacionado con el principio fundamental de intrascendencia, de la no permanencia.

El occidental, con reencarnación o sin ella, cree en la trascendencia de su personalidad y de su alma, de la misma forma que cree en su permanencia y en su eterna relación con lo divino.

El occidental, ya dentro de la reencarnación, pretende reencarnar continuamente hasta que Dios le llame a su lado.

Mientras que el hindú reconoce que el *samsara* es incapaz de liberarle de sus penas terrenales, y que las sucesivas reencarnaciones no son otra cosa que una esclavización al ego.

El occidental desea reencarnar para seguir experimentando la vida en su ser, pero el hindú desea dejar de reencarnar alguna vez para poder liberarse de lo terrestre e identificarse finalmente con lo divino, perdiendo cualquier rasgo de individualidad personal.

En cierta forma, para el occidental la vida es un don, mientras que para el hindú la vida puede ser un castigo, un duro aprendizaje.

Para el occidental es el alma individual quien se reencarna una y otra vez, mientras que para el hindú es la esencia central quien sufre este proceso, dejando de lado la personalidad exterior que, al fin y al cabo, no es más que otro cuerpo físico que se ha de abandonar.

Los griegos creían que en el proceso de la muerte y el renacimiento, el ser bebía de las aguas del río del olvido para no recordar en su vida futura quién había sido en su vida anterior. Idea inútil en el sistema hindú, que considera que el ego y la personalidad mueren de la misma manera que lo hace el cuerpo.

Budismo

A menudo confundimos los preceptos hindúes con los preceptos budistas en todo lo que se refiere a religión y pensamiento mágico oriental.

El budismo, como macrorreligión de oriente, fue adoptando las diferentes creencias de los distintos pueblos asiáticos, pero en sus inicios no parece haberse pronunciado ni a favor ni en contra de la reencarnación.

Con el tiempo, y con la incursión de las ideas mesiánicas del jainismo, el budismo ha llegado a tener muchos puntos en común con las teorías de reencarnación hinduistas.

Para el budismo, por ejemplo, no existe la personalización de las almas, ni de las individuales ni de la eterna. En el budismo, más que una manifestación de lo divino, el hombre sólo es un punto transmisor de lo continuo.

Y si en el hinduismo la ilusión de vivir termina cuando el impulso vital, *jiva*, deja de reencarnarse, para el budismo el *maya* de vivir no termina hasta que el hombre se libera de dicha ilusión.

Para el budismo las reencarnaciones son dolorosas, porque el mundo es doloroso y sus experiencias vivenciales también lo son.

Maitreya (el Buda por venir). Talla en madera , del siglo IX.

La reencarnación es un error, un absurdo del yo que quiere ser algo en un mundo que en realidad no es nada.

El hinduista intenta evolucionar vida tras vida, pasando de una casta a otra hasta alcanzar la casta brahmánica que le permitirá liberarse de esta vida y unirse al *Atman*, pero para el budista no hay castas que alcanzar vida tras vida y, al menos en teoría, el budista puede liberarse de la vida y de la personalidad "despertando" (que es lo que quiere decir la palabra budismo) del *maya* sin importar la posición social a la que pertenezca.

Como todas las grandes religiones, el budismo se fue complicando en dogmas y autos de fe, en prácticas humanas y jerarquías, complicando a su vez la idea de la reencarnación y de la posible liberación del hombre, con excepción quizá del Zen.

Ya no es el deseo de ser lo que obstruye el despertar, sino los intrincados hilos de la ley del karma con sus premios y castigos, los que impiden alcanzar libremente el *Nirvana.*

El mismo Buda no tenía intención de reencarnar, pero sus seguidores le han "reencarnado" varias veces y aún esperan su retorno.

Las diferentes vertientes del budismo actual "reencarnan" a sus santones y lamas más preeminentes, en la creencia de que tienen la obligación de reencarnarse o de transmigrarse inmediatamente después de su muerte. De esta manera, lejos de seguir las ideas originales de Buda, los budistas insisten en permanecer dormidos en este mundo de dolor y egoísmo.

Buda era enemigo de complicarse la existencia, pero como a otros precursores religiosos, las filosofías nacidas, renacidas y adoptadas en torno a su persona le han rebasado, y el alma, que para él no existía, tiene ahora, para sus seguidores de la escuela Hinayama, hasta cinco componentes o emanaciones capaces de formar nuevas almas y, por supuesto, nuevas personas. Mientras que otras escuelas budistas, chinas y japonesas creen que el alma se transforma después de la muerte y alcanza, si está preparada, la liberación al derrotar las trampas del más allá, o regresa a la vida, si no está preparada, a seguir con la misión que le ha sido encomendada. Y, finalmente, los budistas tibetanos creen que los lamas reencarnan por obligación a este valle de lágrimas a pesar de haber alcanzado la iluminación, ya que tienen que soportar sobre su karma la religiosidad del mundo, es decir, que deben permanecer dormidos para que el resto del mundo pueda "despertar" algún día.

El Bardo

Son precisamente los budistas tibetanos los que más se han centrado en el tema de la reencarnación y los que más han impresionado con sus teorías a los occidentales.

Alejados de las ideas originales de los budistazs, que buscan el *nirvana* del no ser, los lamas creen que se puede "despertar" justo en el momento de la muerte y volver a nacer.

Para los budistas tibetanos existe un lugar llamado *bardo* al que se va después de morir. El *bardo* es una especie de purgatorio donde permanece el alma entre reencarnación y reencarnación, es la zona intermedia entre la desencarnación y la encarnación, en la que el ser intentará liberarse. Para ello contará con 49 días y con la guía que le dará el lama en el lecho de muerte, leyéndole el Libro Tibetano de los Muertos, el *Bardo Thodol*, pegando los labios a su oído.

En la práctica, más que una liberación total de la vida, el budista tibetano pretende, o logra, una iluminación, un viaje lúcido en el más allá y el roce del *nirvana* cuando se encuentra en el *bardo*, para emular a Buda, pero ello no le libera para siempre de una próxima encarnación.

El purgatorio cristiano, presumiblemente hijo del *bardo* budista, es más definitivo, pues manda al alma al infierno o al cielo, o bien, le obliga a permanecer ahí hasta el día del juicio final.

En el primer plano del *bardo* el budista preparado espiritualmente podrá alcanzar la liberación, mientras que el budista no preparado tendrá que ir dando tumbos en busca de la luz y llegará al segundo plano, donde verá y oirá a sus parientes vivos, llorando o celebrando su muerte, como si de un fantasma se tratara, mientras sigue buscando la verdadera luz liberadora.

Si no encuentra el buen camino pasará, dentro de este segundo plano del *bardo*, a un lugar donde se le aparecerán visiones terribles producidas por su propio karma y por su propia mente. Si el ser logra mantenerse firme ante sus terrores, gracias especialmente a las enseñanzas espirituales recibidas en vida, podrá alcanzar la liberación en ese estadio.

Pero si sus propios fantasmas son superiores a él y le atemorizan demasiado, se verá abocado inevitablemente al oscuro torbellino del terror que le llevará a reencarnarse o a enfrentarse con la vida física nuevamente.

Para los cristianos que creen en la reencarnación, esta caída representaría el regreso al "infierno" de la vida.

Para los budistas tibetanos, si aún no han transcurrido los 49 días, el ser aún tiene otra oportunidad de alcanzar la liberación.

Después de fracasar ante sus temores y si aún no han transcurrido los 49 días, el ser volverá a la tierra sin cuerpo, como un fantasma descarnado, pero con deseos y necesidades corporales. Verá el mundo entero y traspasará puertas y paredes, podrá estar donde desee de la tierra, pero no podrá entrar en contacto con los vivos ni podrá saciar sus apetitos y necesidades.

Entonces será tentado con un nuevo cuerpo físico, que le permitirá cubrirse y comunicarse. Si es débil lo aceptará, pero antes de que le sea otorgado un cuerpo nuevo y la reencarnación consecuente, tendrá que sufrir un juicio, castigos, humillaciones y una nueva sensación de muerte que desembocará finalmente en la vida física, en la reencarnación, donde tendrá que volver a empezar sin recordar lo sufrido en el más allá, y donde tendrá que vivir, experimentar y estudiar de nuevo para cumplir con la ley del karma y la evolución espiritual. Es decir, que habrá tenido una mala muerte, no habrá alcanzado la liberación ni la iluminación, y tendrá que intentarlo, cuando muera, nuevamente.

Pero si es fuerte y no se deja tentar por un cuerpo que le permita saciar sus deseos egoicos, podrá evitar el renacimiento y unirse a la energía divina para tener felicidad eterna, o bien, podrá decidir sobre su futuro si después de haber alcanzado la liberación opta por volver a vivir físicamente para completar su formación o para cumplir con una misión en el mundo que considera pendiente.

De esta manera podrá reencarnarse sin arrastrar un karma negativo y con la garantía de volver a encontrar la iluminación en el momento de la muerte. Según algunas creencias, el muerto puede reencarnarse, si tiene una alta jerarquía espiritual, en quien él decida: un recién nacido, un niño pequeño o un adulto, escogiendo incluso el lugar de reencarnación y el momento de su propia muerte, aunque lo más común es que reencarne en un niño

Rueda tibetana del Samsara, la rueda eterna de las reencarnaciones

que esté por nacer. Y puede reencarnar como un *yangsi*, nacido de nuevo, o como un *tulku*, emanación con ciertas cualidades espirituales. Es decir, que puede renacer manteniendo su personalidad en un nuevo cuerpo, o bien, que puede reencarnar manifestando sus cualidades espirituales en una o varias personalidades ya formadas. Un lama de la más alta jerarquía espiritual podría, incluso, reencarnar en dos o tres personas a la vez, tomando, por ejemplo, el cuerpo de un niño, la voz de un joven y el espíritu de un adulto, imbuyendo a los tres de su cualidad espiritual despierta, liberada e iluminada.

Egipto

Fuera de las teorías orientales, que son las que más han calado en el ánimo reencarnacionista occidental, se encuentran las ideas egipcias, que han aportado su grano de arena al ser interpretadas por nuestra óptica.

Los occidentales hemos querido ver en los egipcios un sentido reencarnacionista por todas las molestias que se tomaban con sus muertos, pero la realidad es que su sentido de reencarnación no pertenecía a este mundo.

En el antiguo Egipto, la única forma de reencarnación posible en este mundo era la de ser devorado por un enemigo vencedor en la batalla, que creía adquirir las virtudes personales del vencido al beber su sangre y comer su cuerpo.

Las otra forma arcaica de reencarnación entre los pueblos egipcios es muy parecida a las creencias de diversos pueblos alrededor del mundo.

Esta reencarnación tendría lugar en otro mundo físico, pero no en el nuestro. Por ello, el muerto era enterrado con sus armas, sus

Fascímil de una página en árabe del *Libro egipcio de los Muertos*

joyas y una buena carga de alimentos que le permitirían defenderse en el nuevo mundo mientras se adaptaba a éste.

Esta práctica, más o menos refinada, pervivió en el antiguo Egipto durante milenios. Y sólo los faraones y los sacerdotes tenían pretensiones más o menos espirituales después de la muerte, como la de convertirse en nuevos dioses o la de acompañar a Ra en su carro celeste, mientras que el resto de la población tenía suficiente con pensar que reencarnaría en el más allá, o mundo interior, con su propia personalidad y apariencia, en un lugar, los Campos Elíseos, donde no pasaría penalidades, arropado por buenas cosechas, trabajo seguro y clima agradable.

Incluso con la evolución y complicación de la religión egipcia, las creencias apuntaban hacia unas necesidades físicas del ser después de la muerte al seguir pensando que las siete partes de que se componía continuaban amando y comiendo, o sufriendo y pasando hambre, ya fuera por las ofrendas que les llevaran sus deudos, o por lo que pudieran encontrar en el más allá.

Y de haber una reencarnación en esta misma vida, se haría en el propio cuerpo, embalsamado y preparado para tal fin, emulando la reconstrucción de Osiris, y no en el cuerpo de un recién nacido.

Grecia y la metempsicosis

En los pueblos antiguos que confluyeron en la cultura griega, y en la misma Grecia antigua, la muerte y el más allá eran vistos como fenómenos tristes y grises.

Los antiguos griegos, persas y babilonios veían en la muerte un futuro gris y desalentador, una eternidad triste y, por supuesto, sin reencarnación alguna. Los dioses campeaban a su antojo, pero los pobres mortales tenían un destino fatal.

Tuvieron que pasar muchos años para que en Grecia anidaran las ideas orientalistas sobre la vida y la muerte.

La metempsicosis fue la gran baza en el cambio de orientación filosófica y religiosa de los griegos. Ni la el pensamiento ni el paganismo mitológicos volvieron a ser los mismos después de que Platón y Pitágoras apostaran por esta teoría.

El pueblo seguía adorando a los antiguos dioses, pero el sentido de la muerte y la vida habían cambiado,.ahora existía una esperanza de trascendencia y perpetuidad vedada a los seres humanos hasta entonces.

La metempsicosis no es otra cosa que la transmigración del alma, de un cuerpo a otro, después de la muerte. Este cuerpo, como en algunas teorías hinduistas, no tiene por qué ser humano necesariamente.

La reencarnación, en este orden de ideas, puede recaer en cualquier animal: toro, vaca, caballo, paloma, etc., y para evitar la terrible idea de comerse a un semejante, los pitagóricos incluían entre sus doctrinas el vegetarianismo.

Sociológicamente hablando, es lógico que en un clima cálido como el de la India el consumo de carnes sea peligroso, pero no en Grecia. Quizá por eso la adopción del vegetarianismo no haya sido tan bien recibida como la idea de la reencarnación.

Es más, a efectos religiosos y oficiales la idea de la reencarnación no entraba en los esquemas griegos. Sin embargo, a nivel popular y personal, tanto señores como vasallos empezaron a acariciar la idea de volver a nacer.

Dos mil quinientos años después seguimos igual en occidente.

Caronte cruza un alma a través de las aguas del Leteo

Las religiones judeocristianas siguen sin reconocer a la reencarnación como una teoría válida teológica, pero sus fieles la siguen adoptando como una posibilidad agradable y una tesis posible y hasta cierto punto lógicamente probable.

En otras palabras, la idea de la reencarnación ha seguido un camino marginal y paralelo a las religiones, más acorde y relacionada con la magia que con la espiritualidad oficial.

Espiritistas, antroposofistas, rosacruces, masones y todos los que se sientan algo esotéricos, creen en la reencarnación, aunque sean principalmente los teósofos los que hayan adecuado las teorías de la metempsicosis y la reencarnación budista, brahmánica e hinduista al pensamiento de los occidentales, mezclándolo todo y dándole un sentido de aspiración divina y eterna que sonrojaría al mismo Buda, pero que no se aleja sustancialmente de los pensamientos platónicos y pitagóricos.

Todo ello se debe a que los pensadores griegos jugaran un importante papel en las cabeceras de los césares romanos, influyendo en sus ideas y pensamientos, tanto en lo político y sociológico, como en lo moral, lo mágico y lo religioso.

No hay que olvidar que es a los consejeros griegos a quienes debemos la adopción y propagación de las ideas religiosas judías y cristianas dentro del imperio y la religión romana, que terminó transformando a un imperio sustentado por las armas, a un imperio sustentado por la religión, sin dejar de alentar en los emperadores su supuesto origen divino y destino superior, es decir, sin dejar de alentar en los jerarcas las ideas mágicas, marginales y paralelas a la religión y a la posición oficial.

Es por ello que en las primeras épocas de la religión católica, aún lejos de propugnar el cristianismo como se nos ofrece hoy en día, la reencarnación no haya sido anexionada ni desmentida.

Siempre que se habla del tema aparece inevitablemente la figura de Orígenes, filósofo discípulo de Clemente de Alejandría, al que se le achacan, quizá por desconocimiento, teorías sobre la reencarnación.

Lo que en realidad hizo Orígenes, siguiendo las enseñanzas de Clemente, fue tratar de armonizar la fe cristiana con la filosofía clásica, y en su empeño discrepó de la doctrina ortodoxa llevada hasta entonces (siglo II de nuestra era).

Orígenes defendía la subordinación del Hijo al Padre, es decir, de Cristo a Dios, evitando darles la misma personalidad, de la misma manera que defendía que Dios tenía la capacidad de haber creado múltiples mundos intemporales, de la misma manera que había creado el nuestro.

Orígenes mantenía que Dios había creado a todos y cada uno de los espíritus existentes en la eternidad. Estos espíritus eran, inicialmente, ángeles. Pero con la rebelión se constituyeron tres grupos:

1 - Los ángeles rebelados que fueron lanzados al infierno y convertidos en demonios.

2 - Los ángeles leales que permanecen en el cielo al lado de Dios.

3 - Y los ángeles que permanecieron indiferentes y que no tomaron partido en la revuelta. Estos fueron condenados a

vivir terrenalmente durante un período de prueba y no son otros que los seres humanos.

Orígenes decía que los hombres, después de la muerte, podían encontrar la salvación a pesar de lo buena o mala que hubiera sido su vida terrenal (como apuntan los lamas tibetanos con referencia al *bardo*). Que los espíritus existían desde mucho antes de encarnarse (como apuntaba el hinduismo). Y defendía, sobre todo, la apocatástasis, o la teoría de que al final de los tiempos todo volverá al seno de Dios, incluidos ángeles, hombres y demonios, sin importar virtudes, personalidades ni pecados (como asegura el brahmanismo).

La Iglesia rechazó sus tesis en vida y las condenó 145 años más tarde (399 d. C.), y también en el 553, pero en ninguna de las condenas, ni en los escritos de Orígenes, se habla explícitamente de reencarnación.

Orígenes, como filósofo seguidor de los clásicos, debió conocer, e incluso compartir, las teorías pitagóricas y platónicas sobre la metempsicosis, pero sus tesis nada tienen que ver con ello.

Así que decir que la Iglesia aceptara o rechazara la reencarnación basándonos en los juicios que hizo sobre las especulaciones de Orígenes, no tiene ningún sentido.

La Iglesia jamás ha tenido a la reencarnación dentro de sus dogmas. Cristo resucitado a los tres días y la vuelta de Lázaro desde el más allá no son fenómenos de reencarnación o metempsicosis propiamente dichos. En todo caso, guardan mayor consonancia con las ideas egipcias de que el alma podría volver algún día a su propio cuerpo.

Para el cristianismo, el alma nace cuando nace el individuo y llega al cielo si profesa la fe católica, queda en el purgatorio si no la profesa, o se condena eternamente al infierno si la transgrede. Y

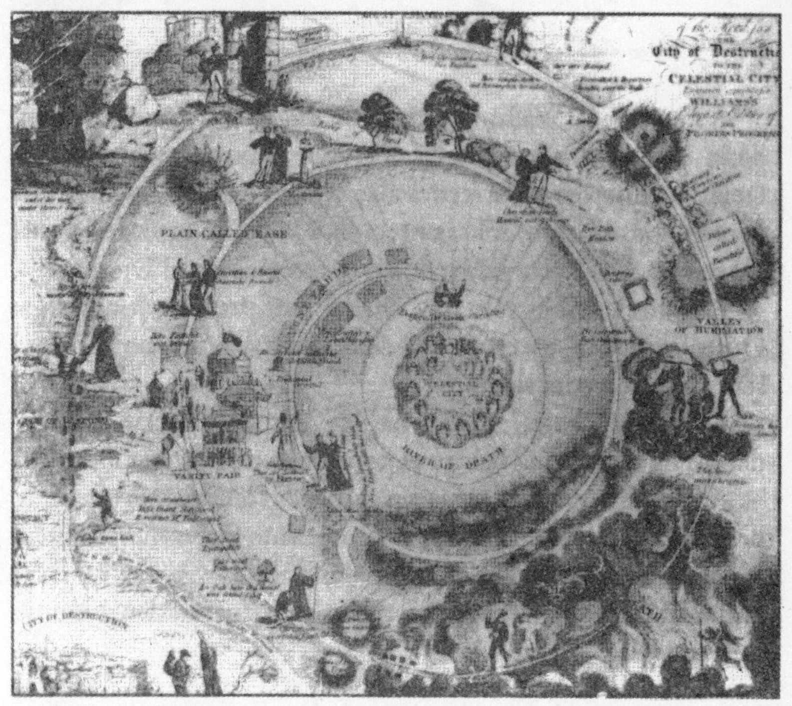

Samsara occidental: ilustración inglesa que recrea el camino del creyente entre su existencia terrena y el viaje definitivo a la ciudad de Dios.

en el juicio final sabrá si ha de vivir o morir para siempre. No hay más.

Los mismos espiritistas cristianos podrán creer en los fantasmas y en los espíritus, incluso creen que las ánimas del purgatorio y el espíritu de algunos pecadores se pueden salvar en el más allá, pero no aceptan en absoluto la idea de la reencarnación, es más, la rechazan de plano.

Si hacemos una encuesta podemos descubrir que la mayoría de los cristianos creen superficialmente en la reencarnación, de una o de otra manera, pero eso no quiere decir que la acepten del todo ni, mucho menos, que la reconozca la Iglesia.

Aunque A. E. Waite, al traducir la *Kabbalah Denudata*, se haya deslumbrado con la posibilidad de que el pueblo de Israel haya creído alguna vez en la reencarnación, los hebreos, como buena base del catolicismo, sólo contemplan la posibilidad de salvar el alma cumpliendo en vida todos los preceptos de su Dios.

Para los hebreos sólo hay una ley, un premio y un castigo. Quien cumpla la ley estará al lado de Dios, y quien no la cumpla será destruido para siempre.

No hay un "antes", pero sí hay un "después" para lo creado. Y dentro de la doctrina hebrea el hombre es creación de Dios.

Adán y Eva pecaron y fueron castigados levemente, por ser los primeros, con la mortalidad y el sufrimiento de los mortales al ser arrojados del paraíso terrenal. Pero los pueblos y gentes, que no le entraron por el ojo a Dios posteriormente, fueron destruidos sin misericordia.

Más tarde, viendo Dios lo falibles que le habían resultado los seres humanos, hizo una alianza con unos profetas y un pueblo determinado: Israel, a los que impuso unas leyes y exigió un comportamiento, para premiarles o castigarles en el momento oportuno, muchas veces sin esperar a que les llegara la muerte, pero nunca les habló de reencarnarse para tener otra oportunidad vital.

Es más, el simple hecho de no haber sido encarnado por alguno de los descendientes de aquel remoto pueblo de Israel, priva a cualquier ser humano de la posibilidad de alcanzar la felicidad eterna en compañía de Dios.

La directa y sencilla propuesta hebrea no ha sido obstáculo para que los cabalistas y otros esoteristas hayan "descubierto" en la Biblia miles de mensajes, con cifras y datos, sobre la reencarnación en la doctrina judía.

El Arbol de la Vida y sus diez *sephiroth* han dado lugar a todo tipo de especulaciones sobre la reencarnación y el ascenso y descenso del la evolución espiritual, pero ello no quiere decir que la religión judía contemple en absoluto la tesis de la reencarnación entre sus leyes y sus doctrinas, al contrario, la religión judía se precia de basar sus apreciaciones teológicas en hechos y pruebas dados por Dios en determinados momentos de la historia. Es decir, que su religión no pretende ni ha pretendido basarse nunca en magias y especulaciones, sino en pruebas directas y en el estricto seguimiento de la palabra de Dios.

Sin embargo, tampoco serán pocos los hebreos que crean personalmente que la reencarnación es posible.

El *Arbol de la Vida* del judaísmo cabalista

Conclusión

En suma, la historia de la reencarnación, desde un punto de vista objetivo, nace en la India hace unos 3600 años a la sombra del brahmanismo, pero no adquiere solidez hasta la aparición del jainismo, siglo VI a. de C., es decir, hace sólo 2600 años. Hasta entonces la mayoría de las religiones, incluidas las orientales, contemplaban la muerte como un paso a un más allá físico, agradable o desagradable, donde se conservaba la personalidad o se reintegraba a la naturaleza.

El jainismo fue precursor del budismo y del hinduismo, y se opuso rotundamente al brahmanismo. De ahí que tanto el budismo como el hinduismo adopten la reencarnación como un dogma religioso, a pesar incluso de Buda, que curiosa y kármicamente nació en el mismo siglo que el jainismo.

En occidente sólo Platón y Pitágoras recogen la idea de la reencarnación, influidos sin duda por el tremendo movimiento religioso de oriente. No hay que olvidar que Pitágoras fue contemporáneo de Buda y el jainismo, y que Platón nació sólo 160 años después.

Desde entonces nadie había tratado seria y rigurosamente el tema en occidente, hasta que Madame Blavatsky incursiona en el teosofismo con un sólido conocimiento sobre el budismo Mahayana (chino, japonés e indio) y el budismo tibetano, y propaga de manera ordenada para el pensamiento europeo las teorías orientales de la reencarnación.

Por supuesto que Eliphas Lévi y Allan Kardec habían pronunciado tesis reencarnacionistas más o menos sólidas e interesantes, y que muchos otros esoteristas habían seguido las fuentes pitagóricas y platónicas con mayor o menor éxito y acierto, dando uno que otro tinte orientalista a sus teorías, pero nadie profundizó tanto como Madame Blavatsky en el tema.

A partir de este punto los trabajos de y sobre la reencarnación abundan. Y es precisamente a partir de los que más me han llamado la atención, y de mis propias experiencias y teorías, que he desarrollado el resto del libro.

CAPITULO SEGUNDO

LA INTERPRETACION DE LA REENCARNACION

Cada grupo, cada sociedad, cada pueblo, cada hombre, tiene una interpretación particular del mundo que le rodea y de las ideas que le circundan.

La idea de la reencarnación no escapa de esta regla.

Hay quien ve en la reencarnación la explicación de las diferencias raciales, económicas y políticas que existen en el mundo.

Para algunos, los pueblos que pasan hambre, sufren esta pena por un karma negativo que deben pagar hasta la saciedad.

Hay quien encuentra en la reencarnación la justificación a sus errores.

Y hay quien ha querido ver en la reencarnación su filiación aristocrática o de superioridad racial.

Todo depende del interpretador.

Los occidentales nos hemos empeñado en interpretar a nuestro gusto y favor todas las ideas y tendencias que han llegado hasta nuestras puertas.

Algunas veces por omisión y otras veces por exceso.

Los occidentales somos pragmáticos, es decir, nos quedamos con lo que nos interesa y desechamos el resto.

Tomamos unos textos antiguos y los traducimos a nuestra conveniencia, convirtiendo al Alto Nilo en Londres, París o Nueva York.

Ya desde los romanos, los occidentales hemos tenido la tendencia a sincretizar las cosas, es decir, a mezclar nuestras cosas con las cosas que llegan del extranjero.

Los romanos fueron unos maestros en acomodar las fiestas romanas con las celebraciones celtas o eslavas, y después, con la aparición del catolicismo, acomodaron magistralmente las fiestas hebreas a las romanas y a las del resto del mundo conocido.

Muchos de esos festejos son ahora famosas celebraciones religiosas.

Grupos como los masones y los rosacruces hicieron suyos a todos los grandes hombres de la historia, aunque éstos nunca hayan oído nada acerca de masonería o rosacrucismo.

La teosofía, hoy en día muy diezmada, se encargó de hacer suyos los preceptos budistas, y entre ellos la reencarnación.

La evolución de las almas, la astrología esotérica, la Ley del Karma y la evolución de las razas, tan implicadas en el tema de la reencarnación, fueron convertidas a los preceptos y conceptos occidentales por la teosofía.

A partir de esta conversión al pensamiento occidental, muchos fueron los autores que tocaron el tema.

A continuación, citaré textualmente a algunos de ellos.

El punto de vista de W. W. Atkinson (Yogui Ramacharaka)

Por "Reencarnación" entendemos la encarnación repetida o reincorporación del alma o parte inmaterial de la naturaleza humana.

El término "Metempsicosis" se emplea con frecuencia en el mismo sentido, y su definición es: "El paso del alma, como esencia inmortal, al morir el cuerpo, a otro cuerpo vivo".

El término "Transmigración de las almas" es empleado a veces en el sentido de la traslación del alma de un cuerpo a otro; pero generalmente se usa refiriéndose a las creencias de ciertas razas inferiores (*aquí podemos ver la tendencia racial de Atkinson, que defendía la existencia de una raza superior y la posibilidad de un*

William Walker Atkinson (Yogui Ramacharaka)

nuevo orden mundial dominado por ésta) que suponen que el alma humana pasa a habitar, en ocasiones, los cuerpos de los animales menos evolucionados, como castigo de las faltas cometidas durante la vida. Creencia que no comparten los partidarios de la Reencarnación o Metempsicosis, pues nada tiene que ver con su filosofía o credo, por ser ideas que han nacido de fuentes distintas y que nada tienen en común (*Atkinson se refiere en este punto a las distintas opiniones sectarias de su época, que de momento no tienen la mayor relevancia, pasemos por tanto a conocer su opinión sobre la base fundamental de la reencarnación*).

Esta creencia fundamental puede ser expresada como la doctrina de que existe en el hombre algo inmaterial (llamado alma, espíritu, ser interno y de muchas otras formas) que no perece al morir o desintegrarse el cuerpo, sino que persiste como una entidad que después de un intervalo más o menos largo se reencarna o renace en un nuevo cuerpo, el de un niño antes de nacer, en el que recomienza una nueva existencia de las anteriores, pero conservando en sí la "esencia" o los resultados de sus vidas anteriores, cuyas experiencias constituirán su nuevo "carácter" o "personalidad".

El punto de vista de Gérard Encausse (Papus)

El cambio que se cree que se da en las condiciones de la existencia del ser que muere, depende sobre todo de las ideas que circulan en el cerebro de los que siguen viviendo en la Tierra. El ser que acaba de morir sigue las leyes inmutables de la naturaleza y prosigue su evolución sin que sus creencias personales interfieran. Si, tal como nosotros mismos lo creemos firmemente, algo de nosotros subsiste en otro plano, es algo que, tarde o temprano, todos llegaremos a constatar. Entonces, ¿para qué discutir de antemano?

(*Papus tiene razón, si de cada cien que nacen, cien se mueren, qué sentido tiene especular sobre el más allá cuando todos lo conoceremos; quizá todo el discurso de la reencarnación se deba a que necesitamos asegurarnos, de vez en cuando, que la vida continúa después de la muerte.*)

Dado a que las relaciones físicas entre los muertos y los vivos se hallan interrumpidas, son estos últimos los que pretenden zanjar la cuestión, y es aquí donde interviene la madurez mental de cada uno.

Para unos, la muerte es la interrupción de todo lo que la naturaleza ha hecho hasta aquel momento. La inteligencia, el sentimiento, los afectos, todo desaparece repentinamente y el cuerpo se convierte de nuevo en hierba, mineral o humo, según el caso.

Para otros, la muerte es la liberación. El Alma, hecha de luz, se desprende del cadáver y se eleva hacia el cielo rodeada de ángeles y espíritus gloriosos.

Entre estas dos opiniones extremas existe una amplia gama de creencias intermedias.

Los panteístas (*los que creen que Dios no es una esencia, sino una persona*), basan la personalidad del muerto en las grandes corrientes de la Vida Universal.

Los místicos (*los que creen que Dios no es una persona, sino una esencia*), predican que el Espíritu, liberado de las trabas materiales, sigue viviendo e intenta salvar a los que aún sufren en la Tierra por medio de su sacrificio.

(*Papus sigue su relato dialéctico, pero veamos lo que el piensa personalmente del tema de la reencarnación.*)

Pero se nos pedirá nuestra opinión y, por si al lector le interesa, diremos con toda franqueza: los Muertos de la Tierra son los Vivos en otro plano de evolución. A nuestro entender, la Naturaleza es avara y no deja que ninguno de sus esfuerzos se desperdicie en la nada. El cerebro de un artista o de un sabio representa años y años de lenta evolución, ¿por qué debe perderse repentinamente?

Dejemos que cada uno digiera en silencio sus ideas personales. Los astros inclinan, no obligan. Indiquemos lo que nos parece ser el camino, pero no obliguemos a nadie a emprenderlo.

Cuando un pariente cercano se halla de viaje en un país lejano, lo acompañamos con el pensamiento y nuestro corazón se queda tranquilo. Quisiéramos dar al lector esta sensación de que nuestros muertos no desaparecen para siempre; son viajeros de otro plano que se hallan recorriendo un país al que todos iremos en principio, a menos que caigamos en la desesperación y el suicidio.

(*Para Papus, los que no creen en Cristo y los suicidas no llegan hasta el cielo después de morir o de haberse quitado la vida, sino que se reencarnan inmediatamente en un recién nacido enfermo.*)

Está claro que, del mismo modo que en la Tierra no hay uniformidad de ocupaciones ni de rango social, en el Plano Invisible no existen unas reglas fijas que determinen la evolución.

Tras un período más o menos largo de sueño sin sufrimientos, debido a que ya no existe ninguna materia terrestre, el Espíritu se despierta y empieza una nueva existencia.

En un principio, el Espíritu intenta relacionarse con los que ha dejado en la tierra a través de los sueños, o por medio de un intermediario cualquiera si lo encuentra.

(*A continuación Papus hace referencia a los médiums, las comunicaciones espirituales y los diferentes grados de evolución para los distintos tipos de muerte, resaltando con fervor el hecho de morir por la patria, por ello hemos decidido saltar unos párrafos y continuar con la opinión de Papus sobre la reencarnación.*)

La reencarnación es el retorno del Príncipe espiritual (*o espíri-*

Papus (Dr. Gérard Encausse)

tu) con un nuevo revestimiento carnal. Para un ser humano, este revestimiento es siempre un cuerpo humano. Pero la reencarnación puede darse en el mismo planeta donde tuvo lugar su última existencia, o bien en otro planeta.

No se puede fijar un tiempo que preceda el retorno a un cuerpo material, así como no se puede fijar un tiempo para la vida terrestre. Hay seres humanos que pasan tres años en la tierra mientras que otros viven durante ochenta. Si dijéramos que el hombre vive un promedio de treinta años en la tierra, hablaríamos como aficionados a las estadísticas y no como observadores de hechos reales.

La duración de la vida en la tierra es un factor personal, al igual que la duración del tiempo transcurrido antes de volver a la tierra es, a su vez, un factor personal que depende de muchas circunstancias.

Digamos en primer lugar que antes de venir a reencarnarse en un planeta, el ser espiritual se presta a la pérdida de la memoria de sus existencias anteriores...

(*A partir de aquí, Papus se pierde en otras especulaciones que no vienen al caso.*)

El punto de vista de E. D. Walker

La reencarnación nos dice que el alma entra en esta vida no como una nueva creación, sino después de una larga carrera de existencias anteriores, en la tierra y en otras partes, de las que ha adquirido sus inherentes peculiaridades presentes, y que se encuentra en camino de futuras transformaciones que está formando en esta vida. Pretende que el recién nacido trae a la tierra, no un cuaderno en blanco para el comienzo de un registro terrestre, ni tampoco una solución de fuerzas atómicas en una exigua personalidad, pronta a disolverse en los elementos, sino que viene con un cuaderno con muchas hojas ya escritas en las que se relatan historias pasadas, algunas parecidas a las presentes, y otras diferentes que reflejan un pasado remoto. Sus inscripciones son en general indescifrables, excepto cuando se hacen con arreglo a las influencias de las actuales impresiones; pero lo mismo que las imágenes fotográficas, invisibles en un principio y visibles hasta que han sido reveladas, estas inscripciones también se hacen visibles cuando se desarrollan debidamente en el laboratorio de la consciencia.

La fase actual de la vida presente, también será almacenada en las cavernas de la memoria, para que actúe inconscientemente en las siguientes vidas. Todas las cualidades que poseemos en el cuerpo, la mente y el alma, son el resultado del uso que hemos dado a nuestras antiguas oportunidades. En realidad, "somos los herederos de todas las edades" y los únicos responsables del contenido de nuestra herencia, por las condiciones aumentadas y por las distintas causas producidas en el pasado por nuestros propios seres; y los futuros flujos de la ley divina de causa y efecto se verán impulsados por el cúmulo de nuestra impetuosidad pasada.

No existe el favoritismo en el universo, porque todos tienen las mismas facilidades de eternidad para lograr su desarrollo. Los que ahora se encuentran ocupando las más altas posiciones, pueden descender a lo más bajo en el futuro. Unicamente los rasgos más íntimos del alma son nuestros compañeros constantes. La riqueza ociosa nos conducirá a la pobreza en la existencia futura; mientras que el trabajador industrioso de la vida presente, posee las raíces de una grandeza venidera. Los sufrimientos aceptados valerosamente ahora, darán por resultado un tesoro de paciencia y fortaleza para la otra vida; la fatiga, la pena, el dolor, aumentarán nuestra fuerza; la abnegación desarrollará la voluntad; los gustos cultivados en la presente existencia, darán sus frutos en la próxima; y las energías adquiridas se afirmarán donde quiera que puedan...

CAPITULO TERCERO

LA REENCARNACION EN LA INTERPRETACIÓN DE LOS TEXTOS ANTIGUOS

Muchos son los investigadores que han visto, o han querido ver, creencias sobre la reencarnación en los textos antiguos.

Los investigadores ingleses han criticado a menudo las traducciones hechas a los textos egipcios (*El libro Egipcio de los Muertos*) por los franceses, de la misma manera que los franceses han criticado las traducciones hechas por los ingleses a los mismos textos.

Los licenciados en filología hebrea se han burlado a menudo de las interpretaciones que los cabalistas han hecho a los textos israelíes. Y los cabalistas han cargado contra la falta de fe y visión filosófica de los primeros con respecto a los textos hebreos.

Y nosotros no podemos erigirnos en jueces para dar la razón a unos o a otros.

Seguramente, los antiguos textos religiosos tenían ciertas claves esotéricas que iban más allá del simple texto, de la simple anécdota.

La Biblia debe de contener una mayor sabiduría que la supuesta a simple vista.

El *Ramayana* y el *Baghavad-Gita* deben de tener una intención ulterior sin duda.

Y el *Libro de los Muertos* debe ser algo más que un registro sacerdotal.

Desgraciadamente, incluso dentro de los investigadores ocultistas, las discrepancias sobre la interpretación de los textos antiguos es tan variada, que es imposible reconocer a una sola de ellas como la interpretación válida y verdadera.

Cuando Champollion descifró los jeroglíficos egipcios, gracias a una versión cóptica de sus símbolos encontrada junto a un texto griego en la Piedra Roseta, desencadenó una guerra de interpretaciones entre ingleses y franceses, tanto a nivel histórico y científico, como a nivel esotérico.

Y cuando los escritos cabalísticos de Knorr de Rosenroth irrumpieron en las escuelas ocultistas europeas de principios del siglo XX, Mac Gregor Matters se apresuró a santificarlos para que Crowley los satanizará irónicamente unos años más tarde.

Dos interpretaciones para un mismo texto

M. Fontaine interpretó el siguiente texto egipcio de esta manera:

Antes de nacer, el niño ha vivido y la muerte no pone fin a nada. La vida es un devenir, su paso es como el día solar que vuelve a empezar.

El hombre se compone de inteligencia y de materia.

La inteligencia es luminosa y para habitar el cuerpo se reviste de una sustancia que es el alma.

Los animales tienen alma, pero un alma que carece de inteligencia.

La vida es un soplo. Cuando el soplo se retira del alma, el hombre muere. Esta primera muerte se manifiesta materialmente a través de la coagulación de los líquidos, el vaciado de las venas y las arterias, y de la disolución de la materia que forma al cuerpo.

Por medio del embalsamamiento, todas las materias son conservadas, incluso la sangre, que el alma volverá a vivificar después del juicio de Osiris. El soplo está al servicio del alma.

Los jeroglíficos egipcios eran un misterio hasta el descubrimiento de la piedra Rosetta (Sección de la denominada Estela Metternich)

A la que se interpone la interpretación de Wallis Budge:

El niño vive antes de nacer y su fin no es la muerte. La vida pasa como pasa el carro de Ra por el firmamento.

El hombre está compuesto de inteligencia (espíritu) y de materia.

La inteligencia (espíritu) es luz y habita el cuerpo por medio del alma.

Los animales tienen ánima, pero no inteligencia (espíritu).

La vida es un aliento. Cuando el aliento sale del ánima, el cuerpo perece. La muerte del cuerpo físico se manifiesta con la coagulación de los humores, el vaciado de las venas y la corrupción de la materia.

El cuerpo físico se conserva al ser embalsamado y volverá a vivir si supera el juicio de Osiris, por el aliento del alma.

La discriminación en la reencarnación

Como podemos ver, existen diferencias conceptuales muy claras en las anteriores interpretaciones.

Esto se debe principalmente a que el autor francés tenía ciertas pretensiones ocultistas, mientras que el inglés pretendía ser más objetivo.

Ambos estudiaron los mismos textos, pero cada uno tenía una interpretación particular de los mismos símbolos.

En el caso de los manuscritos indios, no existen muchas controversias europeas.

Pero si existen diferencias tangenciales entre los interpretadores nativos y los interpretadores foráneos.

Y la principal diferencia es la que se hace respecto a la raza.

Para el intérprete anglosajón, el concepto de la evolución superior de la raza aria a través de la reencarnación es un punto importante.

Mientras que para el intérprete indio, la raza aria no tiene la menor importancia.

Ambos establecen diferencias jerárquicas de evolución espiritual a través de la reencarnación, pero desde prismas diferentes.

Para el anglosajón es la raza aria, y para el indio es la casta superior. Uno no quiere mezclar su raza con las razas inferiores, el otro no quiere mezclar su casta con las castas inferiores.

En Occidente no han faltado los autores que han tratado de quitarle dramatismo al problema de la discriminación en el esoterismo, pero lo han hecho de una forma velada, al fin y al cabo, todo grupo esotérico se siente **el elegido de Dios.**

Incluso los apaches, que creían en una reencarnación del alma en los elementos y del cuerpo en la tierra, se llamaban a sí mismos *seres humanos*, y creían firmemente que los demás hombres, incluidos los conquistadores, eran simples animales sin valor ni alma.

Para los judíos, todo aquel que no sea judío es apenas un perro indigno de Jehová.

Y para algunas tribus amazónicas, el hombre blanco no es humano, sino un monstruo lunar que ha invadido la tierra para alimentarse con las almas y los cuerpos de los seres humanos: ellos mismos.

En los grupos y religiones donde la raza o la jerarquía social no es tema de discriminación, se recurre al maniqueísmo para marginar a los que no merecen una oportunidad en el cielo o en la reencarnación de evolución positiva.

Es decir, que recurren al bien y al mal para determinar los premios o los castigos del mundo espiritual.

Quizás esta última medida haya perdido razón de ser en nuestros tiempos, cada día es más difícil determinar quién es bueno o malo, o quién merece reencarnar en un estado más avanzado y quién no. Y sin embargo, la discriminación persiste, como persiste la diferencia de interpretaciones a la idea de la reencarnación y a los antiguos textos que la propulsaron.

Una interpretación cabalística

Los cabalistas, aquellos que estudian el alfabeto hebreo, la Biblia, y sus posibles analogías con los temas ocultos, se han empeñado en ver todo cúmulo de enseñanzas entre los textos hebreos.

Y, por supuesto, la reencarnación no ha escapado a su atento ojo.

De la *Kabala Denudata*, de Knorr de Rosenroth, se desprende la siguiente interpretación cabalística al tema de la reencarnación:

- El alma vive desde siempre y para siempre.
- No hay origen ni final.
- Las almas que habitan en los cuerpos humanos son ángeles caídos que luchan por volver al cielo a través de miles de vidas.
- Un hombre debe de vivir cien ciclos vitales antes de alcanzar su evolución espiritual.
- Un ciclo vital debe de durar 140 años. Si alguien muere antes de esta edad, tendrá que volver a nacer tantas veces como sea necesario para completar dicho ciclo.
- Una vez transcurridos los 14000 años de vidas, el espíritu del hombre dormirá mil años en el seno del Sol para olvidar su pasado y para limpiarse del ego que suponen las bondades y los pecados.

- Después de estos mil años de sueño y olvido quedará limpio y será Hombre.
- Y cuando sea Hombre, podrá vivir en el mundo espiritual para aspirar a Dios.
- Si en este plazo vuelve a caer, tendrá que hacer todo el recorrido nuevamente, desde el principio hasta el final.

Existen otras interpretaciones cabalísticas de la reencarnación, pero ésta nos ha parecido la más clara y concisa.

En los próximos capítulos ampliaremos todos los conceptos vistos hasta ahora.

CAPITULO CUARTO

REENCARNACION Y RAZA

Una de las más apasionantes teorías de la reencarnación es la que habla de la evolución de las diferentes razas sobre la tierra desde que el hombre apareció en el mundo.

Esta teoría de la evolución de las razas no es discriminatoria en sí misma, a pesar de que muchos grupos quieran verlo así.

La idea nos habla simplemente de que cada persona se reencarna en su misma raza para evolucionar personal y racialmente.

Con ello se supone que vida tras vida, además del adelanto, o atraso, personal, se consigue el adelanto o atraso de toda la raza.

Para los que sustentan esta idea la historia de la humanidad desde sus orígenes (Cosmogonía), se ha desarrollado de la siguiente manera:

La Cosmogonía de las Razas

Antes de que los hombres fueran hombres, eran animales en otros planetas.

Animales que evolucionaron y adquirieron inteligencia gracias al cuidado y amor de sus antiguos amos.

Según esta teoría, los perros y los caballos, por ejemplo, irán evolucionando en compañía del hombre hasta que adquieran la suficiente inteligencia que les permita gobernar otro planeta, de la misma manera que la humanidad domina actualmente la tierra.

Bien, como les iba diciendo, los hombres éramos animales que habíamos evolucionado lo suficiente como para tener nuestra oportunidad en la tierra.

Los primeros hombres no se parecían en nada a nosotros, eran simples filamentos espirituales en busca de una forma óptima para habitar en la tierra.

No todos los espíritus humanos aceptaron encarnar. Muchos se negaron a contribuir con la evolución de la humanidad. A estos espíritus rebeldes se les condenó a habitar la tierra sin forma material definida y se convirtieron en los espíritus malignos, demonios y monstruos, de los que nos hablan las mitologías.

Mientras que los humanos aceptaron el reto y los problemas de las primeras encarnaciones y encontraron su forma idónea en una muy parecida a la de los primates superiores hace unos tres millones de años.

A partir de entonces, los seres humanos ocuparon la tierra en todos sus continentes y empezaron a evolucionar física y espiritualmente, de acuerdo a las leyes de la naturaleza circundante.

La primera en alcanzar una madurez, vida tras vida, fue la raza lemuriana.

Raza Lemur o Negra

Mucho ha cambiado la faz de la tierra desde que los lemures, o negros, alcanzaron la madurez como raza.

Lemuria, hoy conocida como Madagascar, aún permanecía pegada al continente africano y era el centro de su civilización.

Los lemures era una raza sensible, es decir, de nobles sentimientos, poco guerrera y muy apegada a la música y los deportes.

Tenían una tecnología avanzada, dominaban la ciencia y la magia, y vivían en armonía.

Pero su orgullo les impedía acercarse o unirse a las otras razas: blancos, amarillos y atlantes se encontraban en un estado salvaje, muy apegados aún a su imagen simiesca.

Una descendiente de la Raza Lemur

Los lemures no querían saber nada de las otras razas y, a pesar de los consejos de los dioses, les dieron la espalda y se negaron a ayudarles a evolucionar.

No todos los lemures pensaban de la misma manera, pero los que detentaban el poder se sentían demasiado superiores como para mezclarse con las otras razas.

Cuando llegó la hora de evacuar el planeta, cosa que les sucede a todas las razas que alcanzan su madurez y entran en contacto con los dioses, gran parte del pueblo lemur se negó a partir, se sentían demasiado poderosos y seguros en la tierra.

Sólo unos cuantos evacuaron la tierra y se dirigieron a dar vida a otro planeta.

Los que quedaron en el mundo, fascinados por sus propios avances, fueron castigados por los dioses.

La tierra se movió y los continentes empezaron a separarse.

Todo lo que había en Lemuria fue tragado por la naturaleza: ciencia, tecnología, medios, alimentos, y los sobrevivientes se vieron obligados a vagar por Africa, más atareados en comer y seguir vivos, que en recuperar su anterior estado ideal.

Pero eso no fue todo, los dioses les condenaron a permanecer a la sombra de las demás razas, que más tarde los dominarían y rechazarían.

Desde entonces, la raza lemur viene luchando para volver a encontrar su lugar en el mundo, sufriendo la discriminación, el dominio y la esclavitud, hasta que otra raza les ayude a librarse del castigo.

La segunda raza en alcanzar la madurez, fue la raza atlante.

La sensibilidad artística y estética dominaba sus corazones, aunque no tuvieron nunca el talento y la habilidad de los lemures para la danza, la música y los deportes.

La raza atlante se centró en la arquitectura, en las grandes obras y en el contacto con los habitantes de otros planetas.

Esta raza también vivió en la tierra de espalda a las otras razas y, sin embargo, se sentían muy aferrados a la belleza paradisíaca del mundo.

Cuentan las leyendas que los atlantes, a pesar de ser unos

Jeroglíficos de los mayas, descendientes directos de la antigua cultura atlante

grandes viajeros, dominadores del mar, el cielo y el magnetismo, carecían de medios de comunicación, les bastaba con la telepatía.

Los atlantes, trocaron la magia de los lemures en religión y misticismo.

Los lemures tuvieron una ciencia y una tecnología fundamentada en la magia, mientras que la ciencia y la tecnología atlante estaba basada en el misticismo.

Pero ambas se empeñaban en preservar su pureza racial, pues tenían entendido que una raza evoluciona más rápidamente si sus integrantes, vida tras vida, permanecen adheridos a ella.

El egoísmo había cegado sus ojos de cara al resto de la humanidad, que también luchaba entre los mundos espiritual y físico para alcanzar la madurez.

También llegó la hora para la evacuación de la raza atlante, pero fueron muy pocos los que hicieron caso del llamado de los dioses.

Esta vez no era el orgullo y el poder lo que les retenía, era el apego a la tierra, y en especial a su hermoso continente, la Atlántida, lo que les impedía decidirse a surcar el espacio y abandonar el mundo.

Para evitar este apego, los dioses dispusieron la destrucción y hundimiento de la Atlántida.

Gran parte del pueblo, temerosos de la ira de los dioses, se desparramaron por el mundo llevando consigo, hasta lugares que hoy conocemos como América, Egipto y China, parte de los conocimientos atlantes.

Pero los científicos y los jerarcas prefirieron permanecer en su continente y se hundieron con él.

Después del cataclismo los atlantes sobrevivientes se vieron forzados, para perpetuar su raza de color cobrizo, a mezclarse con otros seres humanos. Hoy podemos ver a sus descendientes en toda América, Asia, norte de Africa, India y Medio Oriente.

En Egipto, Caldea y Babilonia se volvieron a aficionar por las grandes construcciones y por los misterios místicos.

En China y la India se decantaron por la estética, la sabiduría y la religión.

Mientras que en las culturas tolteca, maya e inca se preocuparon más por el contacto con los vecinos de Venus y por abandonar la Tierra.

Cuando los conquistadores llegaron a América, sólo encontraron los vestigios de la grandeza de estos pueblos.

El único pueblo de ascendencia atlante que quiso permanecer en la tierra a la llegada de los españoles fue el azteca.

La Raza Roja

Entre la raza lemur y la raza atlante existió la raza roja, muy parecida a los pelirrojos que podemos ver hoy en día.

Esta raza progresó demasiado rápido.

Su temperamento era impulsivo, irreflexivo, guerrero y muy sexual.

No podemos decir que hayan alcanzado su madurez ni que su tecnología haya llegado a ser muy refinada, pero descubrieron algunas aplicaciones al petróleo y a la energía nuclear.

Vivieron en lo que hoy conocemos como el desierto del Sahara, cuando el Norte de Africa y la Península Ibérica estaban unidos y contenían al Mar Interior, el Mediterráneo de nuestros tiempos.

El contacto que tuvieron con los dioses fue primitivo y nunca llegaron a obtener conciencia real de la reencarnación y la vida espiritual.

Pueblos fabulosos citados en las crónicas de los vikingos, grandes navegantes de la raza roja.

Eran aficionados a la medicina y a los experimentos genéticos: algunos monstruos mitológicos son obra de la raza roja.

Conocieron y dominaron a los lemures.

Y recibieron de mala gana las visitas de los castos atlantes, que veían con malos ojos sus desmedidas prácticas sexuales y su gusto por toda clase de vicios.

Los dioses no los castigaron por ello y su práctica y casi completa desaparición se debe probablemente a un cataclismo nuclear accidental, provocado probablemente por la caída de un gran meteorito (¿la otra luna?), o a un terrible terremoto.

Lo que sí hicieron los dioses, fue limpiar de radiación la tierra, aunque no pudieron recuperar el hermoso paisaje tropical del actual desierto del Sahara.

La Biblia menciona a la raza roja con el nombre de Edom y cuenta que sólo una pareja de los Reyes de Edom se salvó del cataclismo.

Los espíritus de la raza roja se reencarnaron en los diferentes grupos que conformaban a la raza blanca, obligados a reemprender el camino de su evolución.

La Raza Amarilla y la Raza de Bronce

Hace unos doce o catorce mil años, la raza amarilla cruzó el estrecho de Bering y recorrió el continente americano, donde se encontró con la raza de bronce.

Estas dos razas fueron las primeras en cruzarse espontáneamente, dando lugar a una serie de mezclas y de tribus que se vieron enriquecidas con la llegada de los atlantes que huían de la destrucción de su continente.

Muchos de estos grupos maduraron y evacuaron la tierra sin grandes aspavientos, y muchos otros continúan en la tierra sin terminar de alcanzar su grado de madurez.

La raza de bronce nunca se ha opuesto a mezclarse con las otras razas, siempre ha estado abierta a las nuevas corrientes, pero sin perder su esencia mágico-religiosa que les permite estar en contacto con el mundo espiritual, el renacimiento y la muerte sin hacerse mayores cuestionamientos filosóficos.

La raza de bronce carece de ambiciones materiales, egoísmos y siempre ha estado dispuesta a la fatalidad, el destino y el sacrificio.

Por su parte, la raza amarilla ha pasado de la truculencia a la sabiduría y viceversa. Del dominio a la derrota y de la derrota a la victoria.

Es, como podemos ver, una raza misteriosa y contradictoria.

Su sentido del sacrificio es exagerado y su único egoísmo está centrado en las antiguas tradiciones, aunque siempre ha estado expuesta a cambios violentos y se ha tenido que adaptar a ellos.

La raza amarilla es muy religiosa y disciplinada, al contrario que la raza de bronce, más supersticiosa y despreocupada. Y a pesar de sus diferencias y de la distancia que las separa, sus destinos están unidos y es muy posible que sean las próximas en evacuar la tierra, aunque nadie lo espere, dando lugar a la próxima raza llamada a dominar la tierra en los subsecuentes dos mil años: la raza dorada.

La raza de bronce pura se encuentra en los diferentes grupos étnicos de América, desde el norte hasta el sur, y cuando finalmente desaparezcan nos dejaran su herencia en las distintas mezclas y mestizajes que han formado a lo largo del continente, y en algunos otros puntos de la tierra.

El yin y el yang, la eterna dualidad, expresión fundamental de la filosofía de la raza amarilla.

La raza amarilla pura es muy abundante y su evacuación será más aparatosa y problemática, pero también nos dejarán su herencia en las mezclas que se han enfrascado desde hace más de diez mil años.

La Raza Blanca

Arios, semitas, eslavos, celtas, etc., conforman la gran familia de la raza blanca, la raza que domina actualmente al mundo entero.

La raza blanca es ambiciosa, guerrera y algo autodestructiva.

Es la raza humana más joven, quizá por ello su comportamiento sea tan infantil. Sus orígenes se remontan a unos 200 o 300 mil años, con el hombre de Cromagnon y el de Neanderthal. Apenas un suspiro de tiempo comparado con los 3 millones y medio de los lemures, o con los tres millones de años de promedio que tiene el resto de razas.

Desde el centro de Europa, la raza blanca ha invadido prácticamente todo el mundo y se ha mezclado casi con todas las razas, a pesar que desde hace seis mil años han tratado de no mezclarse con nadie.

Y es que la raza blanca en general es promiscua, aunque algunos de sus grupos, especialmente los semitas y los arios, son tremendamente racistas.

La raza blanca es también la que menos contacto ha tenido con los dioses: Brahma, Jehová y Zeus fueron los últimos que se dignaron a visitar la tierra. Y esto ha sucedido así, entre otras cosas, porque la raza blanca ha sido la que más complejo mesiánico ha tenido.

La raza blanca siempre ha suspirado por tener a un representante humano, o semihumano (Krishna, Buda, Hércules, Cristo), como representante divino de Dios en la tierra.

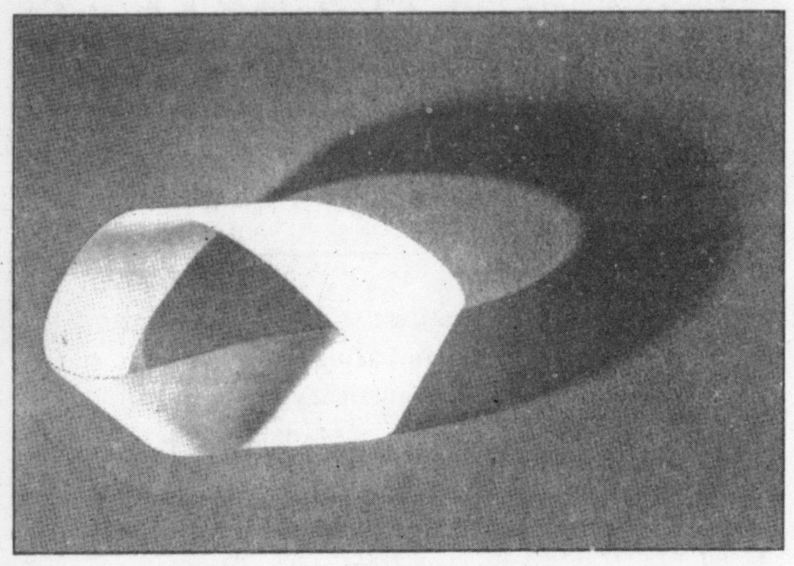

La cinta de Möbius, nuevo mandala de la tecnificada raza blanca

Fue precisamente la raza blanca, por medio de los arios, la que llevó la idea del mesianismo a Oriente.

La raza blanca, reencarnación tras reencarnación, ha luchado consigo misma para alcanzar una evolución espiritual aunada a la evolución científica, tecnológica y material.

Esta sincronía de evoluciones es muy difícil de conseguir, porque entre los mismos grupos que conforman a la raza blanca no hay una sincronía de pensamientos: la raza blanca es la única que se discrimina y extermina entre sí.

La raza blanca se encuentra en un difícil equilibrio: tan pronto pone en peligro a toda la humanidad y a la mayoría de las especies animales y vegetales, como tan pronto descubre un avance que libera a la humanidad y al planeta entero de uno u otro mal.

Es decir que, la raza blanca, la que más rápidamente ha evolucionado sobre la tierra, se encuentra a un paso de la madurez y evolución total, al mismo tiempo que se encuentra al borde del precipicio.

Y, a diferencia de otras razas, es muy posible que la raza blanca alcance la evacuación por medios propios, uniendo materia y espíritu en el esfuerzo.

Las otras razas

Sobre la Tierra han existido otras razas evolucionadas, tanto mitológicas como los elfos, o físicas y cercanas como el delfín.

No podemos medir todo en conceptos humanos, y mucho menos en conceptos humanos circunscritos en un espacio y tiempo reducidos.

La riqueza, el amor y el poder no se han medido siempre de la misma manera.

Todos nuestros valores son subjetivos.

Lo único que tenemos en común desde hace tres millones de años es la evolución espiritual y la existencia, porque incluso la vida y la muerte no es la misma para todos los seres que habitan o han habitado la tierra.

Los elfos, por ejemplo, no nacían ni morían como nosotros.

Y nadie habría aceptado la existencia de una raza enana si no se hubieran descubierto a los pigmeos.

Sobre la tierra han vivido enanos y gigantes, dinosaurios y dragones, seres físicos y seres espirituales.

Pero el hombre, sobre todo el de raza blanca, no sabe creer más que en lo que ve y palpa, pensamiento que pone en duda nuestra existencia misma: aún no hemos sido capaces de comprobar físicamente el origen del hombre.

Si decimos que venimos de los primates superiores, no podemos demostrarlo, nos falta encontrar el eslabón de evolución animal que nos una a ellos.

Y si decimos que fueron los dioses los que nos pusieron aquí tal como somos, nos tenemos que tragar las osamentas del Homo Sapiens, el Pitecantropus Erectus y el Hombre de Pekín.

Por eso, yo me inclino más a creer en la teoría de la evolución por medio de la reencarnación, desde un estado primitivo hasta el hombre de nuestros días.

Hemos citado a los grupos raciales más importantes dentro de esta cadena de evolución, pero no podemos dejar de lado a las

Rostros y tocados tahitianos según los vio el legendario capitán Cook

otras razas ni a la humanidad entera, que es en su inmensa mayoría una gran mezcla de razas.

Se dice que las razas moriscas, mosaico de mezclas de la raza lemur, atlante, roja, amarilla y blanca, han heredado lo peor de todas las razas. Y que a ello se deben su debacle y sus constantes conflictos bélicos y religiosos; que a ello se debe su mala suerte y sus problemas sociales: hace más de cinco mil años que viven en guerra y sometidos por la tiranía estatal o religiosa, sólo que antes resolvían sus diferencias con flechas y hoy lo hacen con misiles.

Y se dice que otro mosaico de mezclas, de todas las razas y de todas las mezclas de las mezclas de todos y cada uno de los grupos raciales, nacerá la raza dorada, heredera de todo lo positivo de sus antecesoras.

Tampoco podemos probarlo, pero no podemos negar que pensarlo resulta reconfortante.

Y resulta grato porque de esa manera ninguna de las razas, ni de las mezclas de las razas, es despreciable.

La Raza Dorada

Después de cada vida y de cada reencarnación sucedida desde el principio hasta el día de hoy, la humanidad ha ido evolucionando a través de las épocas y de las distintas razas que la componen.

La evolución independiente de cada raza ha contribuido a la evolución global de la humanidad.

No existe grupo racial humano independiente de los demás, no en nuestra época. Todos dependemos de todos.

La humanidad está atada a sus logros tanto como a sus fracasos.

Antes de que llegáramos a este estado de cosas, donde la técnica es capaz de hacernos partícipes de lo que pasa al otro lado del mundo, era posible que un grupo humano progresara o desapareciera sin interferir en el desarrollo de otro grupo, pero ahora eso es imposible.

Cualquier atentado contra un grupo racial determinado, es un ataque contra la humanidad entera.

Nadie está a salvo de las repercusiones de la economía o de la guerra.

Desde que los dioses dejaron de tener contacto directo con los humanos, el hombre ha ido caminando hacia una integración plena.

Esta integración aún tardará muchos miles de años en hacerse 100% efectiva, pero los primeros pasos ya están dados.

Sí, a decir de los entendidos en el tema, ya han nacido los primeros niños de raza dorada.

Los crisoles donde se funden todas las razas de la tierra ya han dado sus primeros frutos.

En el paradisíaco Caribe, en el conflictivo Medio Oriente, así como en algunos puntos de Estados Unidos y de Australia, ya existen niños de raza dorada.

Estos niños desparramarán su semilla por el resto del mundo hasta que la raza dorada sea la única sobre la faz de la tierra.

La raza dorada, gracias a los progresos logrados por todas las razas anteriores, reencarnación tras reencarnación, dominarán la materia y el espíritu.

La raza dorada volará por el espacio y conocerá todos los rincones de la tierra.

La raza dorada logrará que la magia sea ciencia y dominará a la naturaleza.

La raza dorada alcanzará niveles de perfección insospechados por el hombre actual, pero también tendrá sus propios problemas,

Einstein, símbolo de la ciencia humanizada. prototipo del ideal filosófico de la venidera raza dorada

problemas heredados de las pasadas reencarnaciones de la humanidad.

Cuando la raza dorada alcance cierta madurez física, tendrá las siguientes características:

- Piel tostada.
- Ojos rasgados y muy claros o negros.
- Cabellos dorados, entre castaños y rubios.
- Miembros alargados y delgados.
- Frente amplia.
- Cabeza grande.
- Labios finos y delgados.

- Nariz pronunciada.
- Dientes pequeños.
- Con muy poco vello corporal.
- Pies alargados y prácticamente sin dedos.
- Manos y dedos de las manos muy finos y alargados y sin uñas.

Mientras tanto, la raza dorada irá presentando sus diferentes características poco a poco.

Los niños actuales que pertenecen a la raza dorada ya tienen los ojos rasgados y muy claros o negros, la frente amplia, la piel tostada, el cabello semidorado y los miembros alargados.

Es posible que uno de sus hijos, o usted mismo, sea uno de ellos, porque se supone que en la década de los años setenta nacieron los primeros, coincidiendo con la entrada de la constelación aparente de Aries en la constelación real de Acuario, es decir, con la entrada de la Era de Acuario.

También se supone que a partir del año 2000 nacerán muchos más y que su verdadera eclosión se dará cuando el hombre vuelva a entrar en contacto directo con los dioses.

El abandono de los Dioses

Los dioses dejaron de tener contacto directo con los hombres hace muchos cientos de años y sólo se han puesto en contacto con algunos cuantos desde entonces.

Según los mitos y las leyendas, que siempre tienen algo de cierto, antes los dioses vivían cerca de los hombres y viajaban del cielo a la tierra con bastante frecuencia.

Incluso se cuenta que la raza de los dioses se mezcló eventualmente con la raza de los hombres.

Pero, ¿quienes eran estos dioses?

Según la teoría de la reencarnación estos dioses, lejos de encarnar a la figura de Dios y lejos de representar a la fuerza divina que sostiene al universo físico, al universo mental y al universo espiritual, eran simplemente nuestros antiguos amos, con los que convivimos como animales en otros planetas.

Ellos nos ayudaron a evolucionar de nuestra forma animal a nuestra actual forma humana, creada a su imagen y semejanza.

Ellos estuvieron con nosotros en la Tierra desde el principio, hasta que vieron que nos podíamos valer por nuestros propios medios.

Estos dioses, sin embargo, carecían de la perfección que le suponemos al Dios universal porque, a su vez, eran seres que estaban evolucionando.

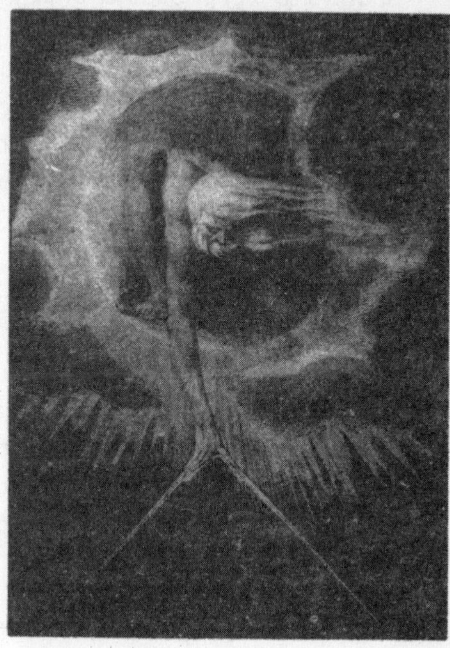

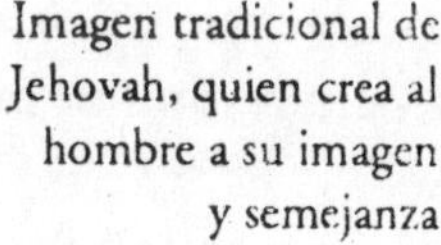

Imagen tradicional de Jehovah, quien crea al hombre a su imagen y semejanza

Esa es la razón de que cometieran ciertos errores en el pasado. La idea de la pureza de la raza se la debemos a algunos de estos dioses.

En suma, que estos dioses bien pudieron ser extraterrestres avanzados que se ocuparon de la infancia de la humanidad, a la que abandonaron cuando ésta alcanzó la adolescencia.

La humanidad está cada vez más cerca de alcanzar el nivel de ciertos dioses y pronto, dentro del marco de los próximos dos mil años, volverá a entrar en contacto con ellos.

Mientras tanto, los dioses permanecerán alejados de nosotros, visitándonos de vez en cuando y entrando en contacto con algunos hombres, pero sin interferir en nuestro desarrollo.

El universo está plagado de seres y de diferentes formas de vida, unas más avanzadas que otras en distintos aspectos.

Por ello no debemos confundir a los dioses de la humanidad con el verdadero Dios universal, ni con otros extraterrestres que visitan la tierra de vez en cuando a bordo de sus naves.

Nuestros dioses son inmortales, pero carecen de la sabiduría del Dios universal.

Nuestros dioses son inmortales físicamente, mientras que muchos de los extraterrestres que nos visitan son tan mortales como nosotros.

Nuestros dioses, en suma, además de ser extraterrestres, pertenecen a un plano superior al nuestro, un plano que sólo podemos descubrir, por ahora, después de la muerte.

Muchos de nuestros dioses tuvieron una vida física en la tierra y murieron en ella para elevarse espiritualmente.

Fin de la Reencarnación y las Razas

Todo esto, a pesar de lo lógico y reconfortante que pueda parecernos, no deja de ser una teoría que interfiere, o se complementa, según el punto de vista, con otros sistemas de reencarnación, como veremos en los capítulos siguientes.

De cualquier manera, no podemos negar que el pertenecer a una u otra raza condiciona nuestra forma de vida y nuestro comportamiento en la tierra, y si condiciona nuestra forma de vivir mientras vivimos, es seguro que condicionará la forma en que regresaremos, después de morir y de reencarnar, a la tierra.

Podremos escapar de las anécdotas de la vida y la muerte, pero nunca podremos burlar la Ley del Karma ni escapar de la Rueda de nuestro propio Destino.

CAPITULO QUINTO

REENCARNACION Y PATRIA

En el momento del nacimiento existe un accidente geográfico que marcará nuestra vida y, muy posiblemente, nuestra muerte y nuestra posterior reencarnación.

Este accidente geográfico lo constituye el barrio, el pueblo, la ciudad o el país donde nacemos.

No es lo mismo nacer en Biafra que nacer en Suecia.

Y tampoco es lo mismo nacer en una barriada de casuchas que en una mansión de los barrios altos.

Los factores ambientales del nacimiento influyen mucho sobre el desarrollo de nuestra vida.

De la misma manera, las decisiones que se tomen en nuestro país influirán en el rumbo que tome nuestra vida.

No vamos a caer en la infantil concepción de los premios y castigos a través de la Ley del Karma.

No vamos a decir que un rico nacerá en su próxima vida en la pobreza porque los ricos son, y han sido siempre, demasiado pocos como para poder reencarnarse en tantos miles y miles de pobres.

Ni vamos a decir que un pobre nacerá rico en su próxima reencarnación, porque de ser así no habrían pobres en tres o cuatro generaciones, todos seríamos millonarios después de un par de vidas.

Lo que sí vamos a decir es que el karma del país en que nacemos, o del país que escogemos para vivir y morir, influye sobre el karma de los hombres.

Si decidimos vivir en un país que hay hambre, pasaremos hambre o nos enriqueceremos por el hambre de nuestros compatriotas, y arrastraremos a nuestra próxima vida ese sentimiento de hambre y miseria.

No podemos negar que hay gente que nace con hambre, con verdadera hambre. Y que a pesar de nacer en un país o en una familia rica, el individuo se esconde para comer, o come con los dedos como si fuera un biafrano que apenas si ha comido en la vida.

Efectivamente, existen traumas que se heredan de una a otra vida, y esto es real y palpable.

Los que han vivido una guerra o en un país guerrero, trasladan sus miedos o su violencia de una vida a otra sin importar al grupo racial, social o económico que pertenezcan.

Una nación cruel y violenta hará que sus ciudadanos renazcan con sentimientos de culpabilidad o con tendencias crueles y violentas.

Además, el karma de un país hace que el individuo, aunque haya nacido al otro extremo del mundo, vuelva al lugar en donde nació anteriormente.

Cuántas personas han sentido el llamado de un país. Cuántas personas conocen países en los que nunca han estado. Cuánta gente se siente atraída por una patria que no es la suya.

Y esto sucede porque el karma del país les llama.

Una cosa son los inmigrantes que van de un país a otro obligados por una guerra o por una mala situación económica, y otra cosa son las personas que se trasladan a un país sin tener una razón o una necesidad aparente.

No son pocos los que se mudan a un país que está en guerra o que vive un delicado momento político.

Ni son pocos los que nacen en un país de una familia normal, y que sin embargo tienen características raciales diferentes.

Existen personas con rasgos indios que nacen en Suecia, y personas con rasgos sajones que nacen en la Patagonia. Y, lo más curioso del caso, sin que en sus familias existan precedentes de dichos rasgos raciales.

Y ya fuera de los casos excepcionales, las personas tienden a nacer una y otra vez en el mismo país, repitiendo una y otra vez los mismos esquemas de vida, atados al karma de su patria.

La Reencarnación y las Matemáticas

Al llegar a este punto salta una serie de preguntas ineludibles:

¿Por qué somos cada vez más?

¿Por qué es en los países más pobres donde nace más gente?

¿Es que no somos los mismos desde el principio de los tiempos?

¿De dónde salen tantas almas evolucionadas capaces de vivir en un cuerpo humano?

Y como parece que las matemáticas y la idea de la reencarnación no se llevan muy bien, trataremos de contestar a las anteriores cuestiones de la manera más clara posible.

Cada vez somos más personas habitando el planeta tierra porque cada vez existen más almas que han alcanzado el nivel de evolución espiritual de los humanos.

Estas almas pueden venir, por involución, de otros planetas, o por evolución, de los mismos animales que habitan la tierra.

Somos los mismos desde el principio, porque Dios es sólo Uno y todos volveremos a ser Uno algún día.

Pero no todos somos las mismas almas que llegaron a colonizar este planeta pasando de la forma simiesca a la actual forma humana.

Muchas son las almas que ya han cumplido su ciclo evolutivo en este planeta y que ahora viven en otro plano o en otro planeta.

Y muchas son las almas que nacen por primera vez en esta tierra, así como muchas son las almas que se están reencarnando de nuevo después largos períodos de descanso.

Y nacen menos personas en países menos favorecidos por dos razones:

1- El instinto de supervivencia y de querer reafirmar su presencia grupal en la tierra.
2- Y porque en los países menos desarrollados es donde pueden acomodar más fácilmente su poca evolución.

Es más fácil adaptarse a la vida en un país pobre que en un país rico.

En un país pobre un alma nueva puede relacionarse más con la naturaleza y con el estado animal del hombre.

Un alma joven se desencantaría muy pronto de la vida en un país altamente desarrollado, pues le costaría mucho entender el desapego que se tiene en estos países de las cosas elementales de la vida.

O en otras palabras, que el karma de un país pobre es más apropiado para el karma de un alma poco habituada a vivir físicamente.

Un país poco desarrollado es siempre más fresco, más vivo, más espontáneo, menos complicado, más mágico, más alegre y menos apegado al consumismo, a las posesiones materiales, a la riqueza y a la vida misma.

Un alma que hasta hace algunas vidas aún era un felino, un cánido o un equino, tendría más problemas de adaptación a un mundo mecanizado y frío que a un mundo artesano y cálido, sin importar que dicha alma nazca de raza blanca, amarilla o cobriza.

Muchas de las almas jóvenes, incapaces de comprender un mundo industrializado, emigran del país desarrollado en que han nacido a un país menos desarrollado pero más comprensible para ellas.

Y, finalmente, como en el ejemplo de los pobres y los ricos, somos cada vez más porque de momento son muchas menos las almas que se elevan, o que descienden, a otro plano, que las que alcanzan nuestro actual nivel de evolución humano.

El día que sean muchas más las almas que se eleven a otro plano espiritual o que caigan a un plano más animal, los seres humanos que habiten la tierra serán menos.

De la misma manera, el día en que los países del mundo igualen su desarrollo, los nacimientos serán menores y más repartidos sobre la faz de la tierra, porque las reencarnaciones también estarán más equilibradas sobre un mismo nivel de evolución físico y espiritual.

Explicaciones tradicionales

Para explicar este fenómeno el hinduismo dice que todos los seres, desde los insectos hasta los humanos, se encuentran en el proceso de la evolución espiritual y que, debido a ello, muchos hombres se reencarnan en animales y muchos animales se reencarnan en hombres. Desde este punto de vista, unas cuantas colonias de moscas, reencarnadas en hombres, podrían explicar el aumento de la población.

Pitágoras defendía la misma premisa: todo ser vivo puede reencarnarse o ser la reencarnación de un hombre. Por eso, al igual que los hindúes, practicaba un riguroso vegetarianismo.

Los budistas, por su parte y dependiendo de cada escuela, creen que un ser puede, según su desarrollo espiritual, dar lugar a más almas y, consecuentemente, a más encarnaciones y reencarnaciones.

Por supuesto, los esoteristas occidentales han exagerado estas ideas en su afán por emular a los orientales, y por explicarse un fenómeno de difícil resolución. Pero lo más fácil es decir que las cosas son así por simple mandato divino.

CAPITULO SEXTO

REENCARNACION Y ASTROLOGIA

Ya hemos visto que tanto la raza como la patria y las condiciones ambientales pueden influir en la vida, la muerte y la reencarnación del hombre.

Pero nos falta una influencia que ponga orden en las otras, esta influencia es sin duda la Astrología Esotérica.

Así como la astrología mundana o exotérica se encarga de determinar el carácter y la suerte de las personas mientras están vivas, la Astrología Esotérica se encarga de determinar la evolución espiritual del hombre reencarnación tras reencarnación.

Aspecto que trataremos de explicar de la forma más sencilla que nos sea posible.

Las Tres Cruces

La Astrología Esotérica contempla tres grandes grupos, de cuatro signos cada uno, dentro de los doce signos del zodíaco.

Estos tres grandes grupos forman una cruz en el firmamento

cada uno de ellos: la Cruz Cardinal, la Cruz Fija y la Cruz Mutable.

La Cruz Cardinal está formada por los signos de Aries, Cáncer, Libra y Capricornio.

La Cruz Fija está formada por los signos de Tauro, Leo, Escorpio y Acuario.

Y la Cruz Mutable está formada por los signos de Géminis, Virgo, Sagitario y Piscis.

Cada una de estas cruces tiene su propio nivel de evolución espiritual que examinaremos a continuación.

La Cruz Cardinal

O la Cruz de la Liberación, la más evolucionada, en la que se encuentran las últimas puertas para dejar de reencarnar en esta tierra y pasar a un plano superior.

Esta cruz tiene el ímpetu de Aries, el equilibrio de Libra, la sensibilidad de Cáncer y la ascensión de Capricornio.

En ella el hombre construye su evolución, la juzga por sí mismo, la mira desde todos los planos: material, mental y espiritual, y emprende la subida definitiva.

Dentro de ella el hombre decide su destino y se hace responsable de sus propios actos, teniendo la oportunidad de llegar a la cumbre con pleno conocimiento de causa.

Pero así como pude ascender, el hombre puede caer en el abismo de su orgullo y perder todo el camino que había avanzado.

Por esta cruz el hombre pasa dominando sus instintos y reacciones primarias y primitivas, absorbiendo y sobreponiéndose al dolor y a los sentimientos más arraigados en su alma material, matando sus prejuicios, sus fantasmas y sus fanatismos interiores, y perseverando en la ascensión sin dar un sólo paso atrás.

La Cruz Fija

O Cruz de la Experiencia. Esta es la cruz intermedia, la cruz de la madurez. En ella el hombre aprende y experimenta para aspirar a la Cruz Cardinal.

Esta cruz está compuesta por el sentido administrativo de Tauro, la capacidad imaginativa de Leo, la creatividad de Escorpio y la capacidad mental de Acuario.

En esta cruz, el hombre evoluciona adquiriendo conciencia de sus propios actos, pero no llega a ser responsable del todo.

La experiencia lleva al hombre a probar lo bueno y lo malo, para que decida el camino a seguir: la evolución o la involución.

La sensualidad lucha con la sexualidad; la generosidad con el egoísmo; la fantasía con la realidad; la verdad con la mentira; y el sentido utópico y revolucionario con el conformismo y la negligencia.

Dentro de esta cruz el hombre se deslumbra con la iluminación aparente del triunfo personal y teme más que nadie a la sombra de la muerte porque se apega demasiado a las sensaciones y riquezas de la tierra, pero también dentro de esta cruz el hombre puede llegar a conocer los misterios de la vida y la muerte, ya sea a través de la intuición o de la mente.

Es difícil que el hombre caiga a su anterior cruz, pero tampoco es nada fácil que ascienda, por ello esta es la cruz que más se repite y que más vidas dura, apoyándose en la cruces que tiene a su alrededor.

La Cruz Mutable

O Cruz Común, la cruz de las almas jóvenes en donde se encuentra la mayoría de la humanidad.

Esta compuesta por la duplicidad comunicativa de Géminis, la tendencia al vicio o la virtud de Virgo, la nobleza conquistadora o impotente de Sagitario y la sensiblería de Piscis.

El hombre evoluciona desde los principios más elementales y difícilmente intenta adquirir conciencia de sus actos, de los que aún no es responsable: está aprendiendo a aprender.

Más que luchar y experimentar, el hombre se deja llevar por las ideas de los demás, por las formas, por las apariencias, por la justicia, por el más elemental y pueril sentido del bien y el mal y por el mal entendido sentido del sacrificio.

En esta cruz, el hombre aprende lo que son las vejaciones, los encierros, las dependencias, la inconciencia y los sentimentalismos que dominan gran parte de su vida.

Es decir, que dentro de esta cruz el hombre se comporta como el niño o el adolescente que intenta reafirmar su identidad y su personalidad.

Dentro de esta cruz es casi imposible que el hombre descienda peldaños en su evolución y es muy posible que ascienda rápidamente. Sus creencias le impiden ser realmente malo, mientras que su inocencia le permite recibir sin traumas la verdadera iluminación.

La Luna Negra y el Ascendente

Después de las Cruces, la Luna Negra y el Ascendente son los puntos más importantes de la Astrología Esotérica, ya que determinan la Vida Anterior y la Posterior respectivamente.

La posición que guarda la Luna Negra en el momento de nuestro nacimiento nos dice el signo astrológico y, en consecuencia, la Cruz a la que pertenecimos en nuestra Vida Anterior.

Esta Luna Negra es una posición aparente en el firmamento que determina el aspecto maléfico de la Luna (la madre) y el karma que arrastran los hombres de su vida anterior.

Mientras que el Ascendente es una posición aparente en el firmamento que determina el aspecto benéfico del Sol (el padre) y el signo que tendrá la persona en su Próxima Vida.

De esta manera, si una persona es Aries en esta vida y en el momento de su nacimiento tiene a la Luna Negra en Escorpio y el Ascendente en Virgo, quiere decir que en su Vida Anterior fue Escorpio y que en su próxima vida será Virgo, con lo que descubrimos que ha evolucionado de la Cruz Fija (Escorpio) a la Cruz Cardinal (Aries) y que tiende a involucionar a la Cruz Mutable (Virgo).

El pasado (la Luna Negra) no se puede variar, pero el futuro es susceptible de cambios si el hombre se esfuerza en mejorar su nivel evolutivo.

Pero, ¿cómo se puede cambiar el signo de la próxima vida para evolucionar a un signo mejor, cómo se puede variar el Ascendente?

De la misma manera que lo hacen los monjes budistas, viajando a otra latitud donde el paso del Sol sea diferente para que cambie nuestro Ascendente, al fin y al cabo, el Ascendente no es más que una posición solar que varía cada Meridiano.

Para que el cambio del Ascendente sea efectivo, es necesario que la persona viva durante siete años, sea bautizada, muera, o celebre su aniversario cada año, en el lugar elegido.

De esta forma, si la persona desea tener un signo más evolucionado en su próxima vida puede lograrlo.

Entre algunos monjes el cambio del Ascendente personal se

utiliza no sólo para "ascender" a un signo más evolucionado en la próxima vida, también lo utilizan para "regresar" a un signo que tienen poco asimilado, aunque este signo no sea más "elevado" que el que ostentan en su Vida Presente.

La Espiral Kármica de la Evolución

El lector se preguntará por qué una persona que nace Capricornio (Cruz Cardinal), con la Luna Negra en Aries (Cruz Cardinal), puede tener su Ascendente en Géminis (Cruz Mutable). O en otras palabras, por qué una persona supuestamente evolucionada ha de nacer en su próxima vida en uno de los signos menos evolucionados.

¿Cómo es posible que alguien tan adelantado tenga que volver a empezar el camino?

Bien, una persona muy evolucionada puede nacer en su próxima vida en un signo poco evolucionado porque ha cometido ciertos errores, porque quiere enriquecer sus experiencias en la tierra, o porque de esa forma sigue el camino de su ascensión total y definitiva, "el camino más amplio y luminoso no siempre es el mejor camino".

¿Pero cómo se puede ascender cuando se desciende?

¿De qué forma se logra subir cuando se baja?

Pues recorriendo una espiral en lugar de subir una escalera, porque la evolución del hombre se encuentra en una espiral que crea la sensación de espacio tiempo fraccionando todas las vidas posibles de la persona, que asciende recorriendo un camino y no subiendo una escalera.

La evolución del hombre no es una escalera que empieza necesariamente por lo más bajo para terminar por lo más alto.

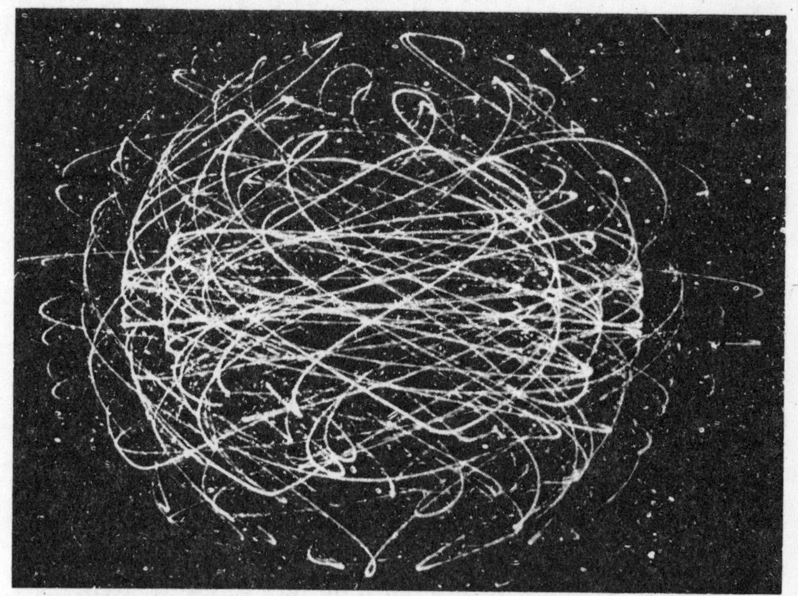

"Tanto es arriba como es abajo." El viejo aforismo hermético, símbolo de la espiral kármica o imagen del electrón girando en la vacuidad.

La evolución del hombre, reencarnación tras reencarnación, es un cúmulo de experiencias que se interrelacionan entre sí, experiencias que comienzan en cualquier punto de la espiral y terminan en cualquier punto de la misma, porque en cualquier punto de la espiral podemos encontrar puertas que nos conduzcan a la liberación final y a la plena vida en un plano superior.

Si la evolución se realizara en forma de escalera, el hombre empezaría por el signo más bajo e iría subiendo progresivamente cada signo hasta llegar al más alto, pero esto no es así, porque una persona puede evolucionar en una sola vida lo que no ha evolucionado en cuarenta, y aunque éstos sean casos excepcionales no están prohibidos a las personas, cada uno de nosotros tiene siempre la oportunidad de alcanzar la liberación espiritual que nos permita vivir plenamente en el mundo astral, en una sola vida. Todos podemos aspirar a salir de la Espiral Kármica sin tener que reencarnarnos cientos de veces, sin tener que recorrer todos los signos vida tras vida, por eso la evolución progresa en forma de espiral y no en forma de pirámide o de escalera.

Por ello, cada uno de los signos tiene tres estados dentro de sí mismo:

No evolucionado

Evolucionado

Iniciado

Un signo no evolucionado por sí mismo, aunque pertenezca a la cruz más evolucionada, la Cruz Cardinal, tenderá a reencarnarse en signos menos evolucionados, mientras que un signo evolucionado por sí mismo, aunque pertenezca a la cruz menos evolucionada, la Cruz Mutable, tenderá a reencarnarse en signos más evolucionados.

Y un signo iniciado en sí y por sí mismo, sin importar a la cruz que pertenezca, puede aspirar a la liberación espiritual y a reencarnarse para ayudar a la humanidad, o a no reencarnarse y a vivir plenamente en el plano espiritual.

Para que el lector sepa en qué grado de evolución se encuentra, gracias a sus reencarnaciones y al karma positivo acumulado en las mismas, en el próximo capítulo hemos confeccionado tres listas de signos del zodíaco en las que veremos las características de cada signo dependiendo de su estado evolutivo.

CAPITULO SEPTIMO

LA REENCARNACION INDIVIDUAL

Cada persona es un caso específico.

En el plano que nos encontramos actualmente, todos y cada uno de nosotros somos seres individuales, únicos.

La vida transcurre ante nuestros ojos como un escenario.

Las personas que nos rodean nos parecen comparsas.

Tenemos el Yo muy desarrollado

Nuestra experiencia, sobre todo en los campos ocultos, es única e intransferible.

Nosotros somos los protagonistas de nuestra propia película.

Nos parece que todo ha sido dispuesto para que suframos y para que gocemos.

Sentimos la vida en nosotros y medimos la vida ajena con respecto a la nuestra.

Cuando ayudamos a otra persona, lo hacemos para que brille nuestra propia personalidad.

Todo gira en torno nuestro.

Tenemos el Ego muy desarrollado.

Todos nuestros actos, malos o buenos, están realizados en función de nuestro Ego.

Y lo que más nos duele de la muerte es el temor a perder este Ego, es decir, que lo que más tememos no es perder la vida, sino perder la identidad, el dejar de sabernos nosotros mismos.

Tenemos miedo de lo desconocido, es cierto, pero más tememos el perdernos a nosotros mismos.

La reencarnación, siendo una esperanza de vida más allá de la vida y la muerte, no deja de ser una promesa de olvido.

Y cada uno de nosotros, dependiendo de nuestro personal estado evolutivo, tenemos nuestro muy particular punto de vista sobre la vida, la muerte y la reencarnación.

Todo lo que escribo está hecho desde mi muy particular punto de vista, y el lector lo entiende, a su vez, desde su muy particular punto de vista.

Un lector puede pensar que estoy loco o que soy un farsante; otro, que tengo toda la razón; y otro más, que no tengo ni idea de lo que escribo.

Muchas opiniones pueden coincidir, pero ninguna será idéntica a la otra.

El lector iniciado me dará su comprensión, aunque no comparta mis puntos de vista.

El lector evolucionado tratará de comprenderme, aunque tampoco comparta mis puntos de vista.

Y el lector no evolucionado, estará a favor o en contra de lo expuesto, pero no intentará jamás comprenderme.

Y cada uno, sin importar su grado de evolución, mantendrá su punto de vista por encima del mío y el de los demás.

Porque cada uno de nosotros necesita ese alimento egoico que nutra nuestra personalidad, ya que de esta personalidad se nutre nuestra experiencia vida tras vida, aunque la olvidemos momentáneamente entre los estados de la vida, la reencarnación y la muerte, experiencia que representa nuestro karma.

La Ley del Karma

Se necesita un libro completo para explicar la Ley del Karma, tan mencionada en temas de reencarnación, pero podemos simplificar su esencia con unas cuantas palabras.

La Ley del Karma, o ley de las compensaciones, se encarga simplemente de sumar nuestra tendencia evolutiva, cuando el karma es positivo, o nuestra tendencia involutiva, cuando el karma es negativo.

El karma no castiga con dolores los gozos de las vidas pasadas, como dicen algunos ocultistas con tendencias masoquistas-religiosas, sino que compensa y equilibra dichos dolores y gozos.

La Ley del Karma no premia nuestra pobreza en vidas pasadas con la riqueza en vidas futuras, simplemente compensa nuestras ideas sobre las posesiones materiales.

Y el karma no premia ni castiga nuestros actos porque el karma no es responsable de ellos, no, sino que nosotros somos responsables de nuestro karma.

El karma no premia ni castiga, simplemente mesura nuestro aprendizaje vida tras vida, reencarnación tras reencarnación.

El morir no nos hace más sabios, pero tampoco nos hace más ignorantes, simplemente nos lleva a un estado superior de conciencia.

Y el nacer tampoco nos hace más ignorantes ni más sabios, simplemente nos trae a un plano inferior de conciencia.

La Ley del Karma es, por tanto, un sistema que equilibra, dependiendo de nuestro aprendizaje y de nuestro plano de conciencia, la ascensión de nuestras experiencias y conocimientos, o el descenso de los mismos.

Los Tres Cuerpos del Hombre

Las experiencias de las diferentes vidas pasan a través de los tres cuerpos del hombre:

El cuerpo físico

El cuerpo mental

Y el cuerpo astral

El cuerpo físico es el que siente, el que actúa, el que funciona química y orgánicamente. Y puede acumular vida tras vida una serie de aprendizajes reflejos.

En él se contienen los instintos y la parte animal del hombre.

Gracias a este cuerpo, el hombre actual es muy diferente físicamente al hombre de Neanderthal. Gracias a este cuerpo el hombre de hoy tiene más habilidades manuales y corporales que el hombre primitivo.

La evolución positiva del cuerpo físico permite que el hombre viva cada vez más y mejor, porque además de la experiencia espiritual, el cuerpo físico transmite una experiencia genética que perfecciona o degenera los cuerpos en que hemos de reencarnarnos el día de mañana.

Los errores del cuerpo físico de hoy, se pagarán con las enfermedades e imperfecciones físicas del mañana. De momento, y mirándonos físicamente ante un espejo, podemos decir que el balance ha sido más o menos positivo.

El Cuerpo Mental, que se encarga del desarrollo intelectual e intuitivo del hombre, va evolucionando vida tras vida y reencarnación tras reencarnación, gracias a las ideas.

El cuerpo mental se encarga de la creatividad, de la imaginación, de la tecnología, de la ciencia, de la magia, de las artes y de todas las actividades culturales del hombre.

Gracias a este cuerpo hemos dejado de pensar que la tierra es plana y que el cielo es una tela firme de la que cuelgan miles de bombillas, las estrellas.

Gracias a este cuerpo, el hombre domina, equilibra y estabiliza el grosero estado del cuerpo físico.

El cuerpo físico expresa los sentimientos, pero el cuerpo mental los ordena y les da un sentido elevado. Por ejemplo, el sexo animal

El cuerpo mental del hombre sobrevive a la muerte del cuerpo físico

es poco placentero y bastante violento, pero nuestra inteligencia es capaz de hacerlo sensual y placentero, o bien, del amor carnal, el cuerpo mental puede extraer el amor romántico y el amor espiritual, simplemente ordenando los sentimientos.

Ante los éxitos, los fracasos. El cuerpo mental también comete errores y actualmente nos tiene en un estado delicado de supervivencia, porque ha sido el cuerpo mental el que ha promovido las guerras, las tiranías, los fanatismos y la destrucción de la naturaleza.

El cuerpo mental no ha evolucionado tan equilibradamente como el cuerpo físico.

El cuerpo mental se ha desarrollado aceleradamente en los últimos cien años y aún no ha sido capaz de compensar el impacto de las experiencias recibidas. Esa es la razón de que la humanidad esté constantemente al borde de la autodestrucción.

Son demasiadas las ideas y los avances intelectuales que hemos sufrido en las últimas vidas. Son demasiados los conflictos que ha sufrido nuestra inteligencia. La técnica y la ciencia han rebasado con creces nuestra capacidad de comprensión mental de la vida actual, la ciencia y la técnica van demasiado por delante del hombre.

Por eso es que el cuerpo mental ha vuelto sus ojos al pasado, a la magia, al espíritu y a las ciencias ocultas, intentando compensar lo excesivamente racional con lo aparentemente irracional. Lo fantástico de nuestra vida racional nos ha llevado a buscar en lo fantástico de nuestra vida espiritual.

Es posible que necesitemos cien años más y un par de reencarnaciones, para equilibrar el estado de nuestro cuerpo mental.

El Cuerpo Astral, o cuerpo espiritual, es el único de los tres que está realmente vivo.

El cuerpo astral vive en un plano superior todo el tiempo y se encarga de guiarnos a través de nuestras vidas físicas y de nuestras reencarnaciones.

El cuerpo astral es nuestro dios particular, representado por nosotros mismos en un plano de conciencia superior, pero difícilmente puede intervenir en nuestra experiencia diaria.

Nuestro cuerpo astral no contempla con los mismos ojos nuestros problemas cotidianos. Para nuestro cuerpo astral no tienen la importancia que le damos a conceptos como riqueza, salud, amor y fama. Y sin embargo, es a nuestro cuerpo astral al que culpamos de nuestros fracasos y del que esperamos todas las soluciones de nuestros problemas.

El cuerpo astral se une, a veces, con el cuerpo mental durante la concentración, la ingestión de ciertas drogas, los estados alterados de conciencia, los sueños y la muerte, para abandonarlo cuando la persona vuelve a la realidad física, es decir, cuando renace o cuando despierta en este mundo.

El cuerpo astral evoluciona espiritualmente perfeccionando nuestros cuerpos físico y mental. Y también evoluciona espiritualmente de una forma que nos es muy difícil de comprender: intentando morir física y mentalmente para siempre, para poder vivir con plenitud en el mundo espiritual, sin tener a dos de sus partes inferiores en los mundos material e intelectual.

LOS SIGNOS NO EVOLUCIONADOS

Una vez explicados, de una forma muy sencilla, los conceptos anteriores, ya podemos pasar a ver nuestro estado de evolución individual, signo por signo del zodíaco, empezando por los signos menos evolucionados, es decir, por aquellos signos astrológicos que representan a las personas dominadas principalmente por su Cuerpo Físico.

ARIES

Vive en la experiencia ciega y sin dirección. Se deja dominar por las reacciones instintivas. Carece de equilibrio y no sabe distinguir entre el riesgo calculado y el verdadero peligro. Se autodestruye con facilidad.

Su apariencia es nerviosa y primitiva.

Su mente es capaz de almacenar muchos datos, pero no sabe expresarlos con fluidez.

Desconoce sus propios sentimientos y se deja arrastrar más por un falso sentido de lealtad que por el verdadero amor.

Vive para las tradiciones o las usa de pretexto para evadir sus responsabilidades.

Puede caer con facilidad en los vicios.

No sabe reflexionar, y si lo hace es para destruir lo que tanto trabajo le ha costado construir.

Le encanta sacrificarse para que los demás le vean como una mártir o como una víctima.

Puedes contar con su amistad casual, pero no con su entrega, esto le salva del fanatismo pero le precipita en la intolerancia.

Su ánimo es guerrero y su muerte será violenta.

Es muy posible que reencarne en un signo que refrene sus instintos en la próxima vida.

TAURO

Vive en el deseo egoísta y trata de entregarse a todo tipo de excesos y de placeres, y digo trata, porque generalmente dichos excesos y placeres sólo quedan como un fantasioso deseo incrustado en sus palabras y en su mente.

Hace el mal y el bien sin mirar a quién.

Tan pronto es cruel como generoso, tiránico como liberal.

Cree que todo el mundo le quiere hacer daño, pero nunca repara en el daño que pueda causar él porque se considera una buena persona.

Sufre con la soledad, pero es incapaz de buscar sana compañía.

Se le domina fácilmente por los sentimientos y prefiere ser engañado a enfrentar la realidad.

Sus reacciones son coléricas, pero su mente es calculadora.

No sabe lo que es la fidelidad o la lealtad personal, pero exige la fidelidad y la lealtad de los demás como algo sagrado.

Brilla en lo material y adquiere riquezas, pero siempre tiene un pie en el fracaso y en la miseria.

Sus triunfos no le contentan tanto como el fracaso de los demás.

Su muerte es lenta y poco apacible, y tiende a reencarnar en un signo de servicio.

GEMINIS

Vive para servirse de los demás y para servirse a sí mismo.

No sabe lo que es un secreto y desconoce la solidaridad.

Su sexualidad es ambivalente y sus relaciones sentimentales están destinadas al rompimiento.

Le gusta ser muy revolucionario en la calle y muy tradicional en casa.

Le encantan las apariencias y manipular a los demás, por ello progresan con facilidad en la vida política.

Vive en la falsedad, la ponzoña verbal y la hipocresía. Nada puede hacerle más daño que la felicidad o la estabilidad de los demás.

Cree que todo está mal, pero no sabe cómo podría estar bien.

Cambia radicalmente sus puntos de vista y quiere obligar a los demás a que piensen como él, y cuando lo logra, cree que los demás no son capaces de expresar una decisión propia.

La muerte le llega por sorpresa y reencarna en algún signo que unifique o de vida a su sexualidad y a sus sentimientos.

CANCER

Vive en el más puro sentimentalismo y en el sufrimiento.

Las desgracias parecen perseguirle a lo largo de su vida, muy religiosa en un principio, que se torna contestataria de Dios porque éste no le resuelve los problemas.

Se deja masificar con facilidad y es capaz de perder su identidad en favor de una causa que considere justa, beata o divina.

Pero lo que más le fanatiza es el hogar y la patria.

La familia, la madre y los hijos son elementos primordiales de su vida, a pesar de las frustraciones y sufrimientos que le den.

Le cuesta mucho trabajo encontrar un sentido personal a la vida y tiende con facilidad al suicidio o al alcoholismo.

En la vejez es capaz de acumular riquezas o posesiones.

Las ciencias ocultas son perniciosas para su salud mental, que es frágil como el hielo.

Muere lentamente y se aferra poco a la vida. Reencarna generalmente en un signo poco sentimental.

LEO

Vive para sí mismo y para nadie más.

Sin embargo, trata de parecer bueno ante los suyos. Pero

si pierde su buena fama, no se inmuta en absoluto y convierte en malvados traidores a aquellos que han descubierto sus debilidades.

Le gusta hacer las cosas a escondidas.

Miente con una facilidad asombrosa.

Y tiene un terrible temor a la vejez y a la soledad.

Si le es posible, evade todo tipo de responsabilidades, incluso la de atarse los zapatos. Pero no es perezoso, incluso es capaz de repetir veinte veces un trabajo hasta que lo hecha a perder definitivamente.

Si no encuentra una seguridad económica en la vida, se irá degradando y prostituyendo, buscando siempre el camino más fácil pero encontrando el más difícil.

Su exagerada imaginación puede llevarle a estados de fanatismo y de locura que desaparecen cuando alguien intenta denigrar su orgullo o disminuir su personalidad.

Su exacto retrato es el de un rey sin súbditos o la de un millonario sin dinero.

Encuentra su mayor liberación en la muerte y el sexo.

Muere repentina pero apaciblemente y enredado en sus propias fantasías. Se reencarna generalmente en un signo sentimental.

VIRGO

Vive depresivamente y en un estado permanente de frustración.

Es incapaz de afrontar la vida y se refugia en el amor conyugal, en la paternidad o en la maternidad.

Niega sus instintos y sus sentimientos verdaderos.

Se dedica a servir a los demás con sumisión, sacrificio y disgusto.

Es incapaz de superar un fracaso y no se atreve a tomar las

riendas de su propia vida, por eso espera a que sean los demás, o los acontecimientos, los que marquen el rumbo de su existencia.

Se pierden con facilidad en los detalles, incapaces de ver el todo. O se deslumbran con el todo incapaces de ver los detalles.

Con los demás, y si la situación se los permite, son tiránicos, excesivamente críticos y despóticos.

Junto al Géminis no evolucionado, es habitual de las actividades no violentas al margen de la ley, lo que le hace conocer el encarcelamiento.

Muere lentamente y a disgusto. Se reencarna generalmente en un signo constructivo.

LIBRA

Vive en la duda constante. Es inteligente, pero incapaz de llevar a cabo sus proyectos. Tarda demasiado tiempo en liberarse de la tutela familiar, sobre todo en el aspecto económico.

Todo le molesta, todo le irrita.

Se siente un genio frustrado o incomprendido.

Sin embargo, es muy servicial con los demás.

Se deja llevar por cualquier creencia y cree ver a Dios y al Diablo en todos lo sitios y situaciones.

Ama la rectitud y las buenas maneras en casa, pero se permite todo tipo de licencias fuera de ella.

Está muy apegado al amor carnal, su pasión es fogosa y desequilibrada, por ello recorre los senderos del amasiato, las desviaciones sexuales y la prostitución.

Las dudas que sus propias pasiones le despiertan, le llevan a vivir períodos de exagerada castidad.

Muere de largas enfermedades. Se reencarna generalmente en un signo religioso.

ESCORPIO

Vive en un egoísmo exagerado y se siente más que nadie el centro del universo.

Sueña con grandes triunfos personales en los campos del sexo, el arte y el deporte.

Su lengua es venenosa y une y separa amistades sin importarle el mal que haga.

Tiene rasgos simpáticos y generosos, pero no puede evitar lastimar a los demás.

Jamás reconoce sus propias culpas.

Siempre está atado a sus caprichos.

Es capaz de expresar una violencia asesina, por lo que recorre los senderos de la guerra y el odio.

Trata de mantenerse joven y huye, como puede, de la idea de la muerte. Pero nunca lo logra, la muerte y el envejecimiento de su cuerpo físico son traumas que le acompañan permanentemente.

Se refugia en el sexo siempre que puede o, cuando no puede, se imagina que se refugia en el sexo.

La religión y los buenos sentimientos sólo le sirven de pretexto para perpetrar malas acciones. Justifica el mal con el bien.

Es violento, pero no valiente, por eso muere de viejo. Se reencarna generalmente en un signo mental y poco sexual.

SAGITARIO

Vive en el sentimiento de que ha sido elegido por Dios para algo importante.

Se siente atraído por la religión y el sacrificio, pero no siempre es capaz de seguir la carrera religiosa.

De cualquier manera, si es capaz del más acendrado fanatismo y escoge como ídolo a su padre, su hijo, un partido político o un equipo de fútbol.

Es prejuicioso, pero no tiene carácter suficiente ni fuerza de voluntad, por eso es frecuente verle dominado por algún miembro de la familia o por un amigo.

Es trabajador, sacrificado y muy leal.

Es muy nervioso, cualquier evento extraordinario le descentra.

Se deslumbra con facilidad, pero tiene mucho miedo de lo desconocido.

Es bueno y generoso, sin embargo, está muy apegado a las cosas materiales que considera de su estricta propiedad.

Cualquier problema, por pequeño que sea, le lleva a decir que el mundo es una porquería.

Muere sin entender por qué muere dentro de su agonía. Se reencarna generalmente en un signo poco creyente.

CAPRICORNIO

Vive con el alma atada a la tierra. No importa si alcanza o no la riqueza, él quisiera llevarse sus logros materiales al más allá.

Incluso los conceptos espirituales o religiosos los contempla desde el punto de vista material.

Es capaz de llevar a la exageración los conceptos de disciplina, austeridad y castidad, sin que éstos le ayuden a alcanzar la beatificación o la santidad.

Es avaro tanto en la materia como en el sentimiento.

No es muy inteligente, pero si muy mental y calculador. Nada, de lo que le interesa, escapa a su mirada.

Su mayor placer sería que los demás se sometieran a su dominio, cosa que logra muy pocas veces.

Es maestro en las coacciones monetarias y sentimentales, especialmente con los hijos.

Su retrato típico es el del avaro de los cuentos infantiles. Todo lo guarda, todo lo aprovecha y no comparte con nadie lo que considera suyo.

Muere a edad muy avanzada, pero se resiste a la muerte hasta el último momento. Se reencarna generalmente en un signo infantil.

ACUARIO

Vive en la apatía y el desconcierto.

Es inteligente, pero no desarrolla su inteligencia y desgasta sus capacidades en tareas menores.

A veces intenta ser revolucionario, pero después del primer impulso, se atemoriza y se pone en segundo plano.

Todo para él son segundos planos.

Sus primeros intentos son siempre fallidos.

Le encantaría disfrutar de los primeros platos, pero al final se conforma con las sobras de los segundos.

Aparenta no tener sentimientos de propiedad, pero es sólo apariencia: es muy ambicioso, lo que pasa es que se ve incapaz de acometer sus ambiciones.

Brilla y destaca en la juventud, pero se va enfriando y apagando en la madurez.

Le gusta sentirse de las clases superiores, o fingirse un noble caído en desgracia.

Cae con facilidad en el falso orgullo que le proporcionan sus aires de grandeza.

Se queja de incomprensión, pero es él quien se niega a comprender a los demás.

Pasa de intentar ser humanitarista a la más tremenda crueldad.

Le cuesta mucho mantener su equilibrio mental y muere dentro de cierta locura. Se reencarna generalmente en un signo de instintos primitivos.

PISCIS

Vive instintiva, sentimental y sensiblemente, respondiendo a los estímulos de su medio ambiente.

No tiene sentido del materialismo, pero goza de una gran avaricia de sentimientos.

Sufre como nadie el peligroso sentimiento de los celos.

Durante su vida se tropieza con la soledad y el encierro frecuentemente.

Su carácter es débil e inseguro, siempre proclive a la depresión y a la desesperación.

Puede acometer grandes obras o grandes males, porque sigue ciegamente al primero que le da un poco de afecto y comprensión.

Tiene, sin embargo, una gran capacidad para contactar con las esferas inferiores del más allá, lo que termina por arruinar su escasa fortaleza mental.

Se autodestruye fácilmente por medio de los vicios.

Y encuentra refugio en la servidumbre, el sacrificio y el arte.

Fuera de todo esto, y si la vida se lo permite, se dedica a no hacer nada y a ver como pasa la vida y como llega la muerte.

Muere enfermo y resignado. Se reencarna generalmente en un signo materialista.

LOS SIGNOS EVOLUCIONADOS

La mayoría de las personas viven entre la evolución y la no evolución. Entre lo negativo y lo positivo, equilibrando sus karmas dentro de ésta misma vida.

Por ello, no es raro que las personas de cada signo intenten de vez en cuando ser de la siguiente manera:

ARIES

Desarrolla su personalidad y dirige sus esfuerzos.

Aprovecha su energía en actos creativos y constructivos.

Se sobrepone de los problemas y aprovecha los errores cometidos mejorando su experiencia.

Tiene capacidad para manipular la materia y para convertirla en algo positivo.

Siempre va hacia adelante y se mantiene firme ante la adversidad.

Intenta ser el número uno en todos los campos que abarca.

Sublima su pasión y sus deseos.

Vive intensamente y muere con tranquilidad. Se reencarna en Capricornio para sublimar sus habilidades y ascender la cuesta final.

TAURO

Administra y ordena sus valores dominando su tendencia a los excesos.

Convierte su sentido sensual en arte.

Contacta eventualmente con el más allá, pero no se deja deslumbrar por ello.

Refrena los impulsos ciegos, aconseja y dirige.

Cambia sus sentidos elementales por verdaderas aspiraciones.

Se sirve de la materia sin permitir que ésta le domine.

Asume riesgos y toma decisiones.

No envidia ni pone de pretexto a los demás. Asume sus responsabilidades y deja de justificar sus errores.

Permite la dirección del espíritu sin rebelarse materialmente.

Muere apaciblemente y se reencarna en Libra para equilibrar sus sentidos.

GEMINIS

Desarrolla su capacidad de servicio a través de las comunicaciones y la medicina.

Orienta sus valores ambivalentes en la unión de los sentidos con las ideas.

Aprende el valor del silencio y de los secretos.

Desarrolla su intelecto y utiliza su poder de persuasión por medio de la palabra para informar correctamente a los demás.

Emprende iniciativas y realiza proyectos comunitarios.

Defiende, apoya e impulsa a las clases menos favorecidas y a los grupos minoritarios.

Muere a temprana edad, pero con la satisfacción de la tarea cumplida. Reencarna en Virgo, donde sublima su sentido del servicio.

CANCER

Supera los sufrimientos y aprende a renunciar a los lazos afectivos.

Desarrolla su psiquismo y lo emplea en el mundo que se encuentra a su alrededor.

Encausa su fantasía en creatividad literaria o científica.

Recorre el mundo y conoce las distintas realidades físicas y culturales que hay en él.

Se mantiene activo y troca los sufrimientos en buen humor.

Enfrenta los problemas y evita las soluciones fáciles.

Se aleja de la masa para convertirse en un verdadero individuo.

Muere con la convicción del más allá que percibe. Reencarna en Aries para hacer más constructiva su creatividad.

LEO

Rompe con el egoísmo, el orgullo, la soberbia y el deseo de destacar, para dar paso a su verdadera nobleza.

Lucha por establecer un orden a su alrededor y por cambiar el mundo.

Se erige en guía de los desamparados y dedica su fortuna a hacer el bien sobre la tierra, pero corre el peligro de caer en las garras del poder que le convierten en un tirano.

Aspira a Dios y a lo divino.

Descubre muchas cosas que para los demás pasan desapercibidas y, lo que es más importante, se descubre a sí mismo como hombre verdadero que aún se encuentra a mitad del camino.

Muere repentinamente, pero en paz consigo mismo. Reencarna en Escorpio para conocer la verdadera muerte del Ego.

VIRGO

Abandona el detallismo y los deseos de fijarse en las cosas intrascendentes para encarar la trascendencia de la vida.

Recibe la iluminación de los sentidos y la revelación de la luz.

Se convierte en una fuerza creadora.

Se erige en protector, madre, padre o guía espiritual.

Deja de servir a los hombres en lo material para serviles en lo espiritual.

Rompe con sus propios vicios y logra, de vez en cuando, contactar con los dioses.

Acepta su naturaleza y desarrolla sus sentidos corporales al mismo tiempo que desarrolla sus sentidos espirituales.

Cumple una misión en la tierra dando un poco de luz a los demás.

Muere en un tiempo preestablecido y se reencarna en Sagitario para fortalecer su espíritu.

LIBRA

Deja de lado sus propios prejuicios y pesimismos para mediar entre los hombres.

Se convierte en el conciliador de los opuestos.

Se desarrolla y realiza personalmente en la filosofía, la literatura y la arquitectura.

Encuentra su propio equilibrio.

Intenta equilibrar a los demás.

Supera los lujos y las sofisticaciones, trocando los placeres de la carne y los sentidos en placeres del alma y el espíritu.

Sienta las bases del espíritu en su propio ser.

Transforma sus supersticiones en verdadera devoción y aspiración por lo espiritual.

Muere equilibrando el alma con el cuerpo. Reencarna en Cáncer para sublimar sus sentimientos.

ESCORPIO

Incluso en la evolución, Escorpio continúa en lucha consigo mismo, intentando matar las facetas ponzoñosas de su Ego.

La guerra y la violencia siguen estando en su destino, porque continúa en conflicto con la dualidad y las contradicciones, pero deja de utilizar a los demás para justificar sus errores o sus malas intenciones.

Su guerra se aleja del campo material para introducirse en el campo espiritual a través de la depuración del bautismo.

Necesita morir en vida para recuperar la verdadera esencia de su ser.

Sustituye el amor sexual por la sensualidad y la ternura.

Deja de temer a la vejez y a la muerte porque alcanza a conocer a la muerte en vida.

Las ciencias ocultas le abren sus puertas y puede llegar a comprenderlas, pero también corre el peligro de caer en el caos de lo irracional.

Muere accidentalmente liberándose de su Ego. Y se reencarna en Acuario para ordenar su mente.

SAGITARIO

Dedica su vida al acercamiento espiritual por diversos caminos.

Primero realiza acercamientos experimentales, para probarse a sí mismo la existencia del mundo espiritual.

Después pasa al acercamiento dirigido, con la humildad del alumno que ha encontrado al verdadero maestro.

Consigue la capacidad de dominar y guiar a los hombres comunes, pero su verdadera aspiración es llegar a dirigir a los Hombres.

Su intelectualidad alcanza la profundidad del espíritu, logrando enlazar a su cuerpo mental con su cuerpo astral.

Recibe los dones del carisma y de las lenguas, y sólo el orgullo de haber alcanzado la iluminación en vida puede retrasar su desarrollo espiritual.

Muere lánguidamente en la vejez. Reencarna en Piscis para completar su sacrificio espiritual y su entrega a los hombres.

CAPRICORNIO

Evoluciona reconociendo sus sentimientos y su espiritualidad.

Cambia la avaricia y la ambición de la materia por la avaricia y la ambición del espíritu.

Asciende sin importarle lo que va dejando atrás y se desconecta de la tierra cuando aún no ha alcanzado la muerte física.

Deja de manipular a los demás y aplica la castidad y la disciplina en sí mismo.

Trabaja y construye mucho, pero no le da importancia a la materia conseguida.

Tiene capacidad para dominar su mente, su cuerpo y su espíritu, de la misma forma que puede dominar la magia, la ciencia y a los hombres, pero no le da demasiada importancia a su dominio. Y cuando se la da y se envanece por ello, cae en las profundas y amargas aguas de Cáncer en su próxima reencarnación.

Capricornio es el signo que más cerca está de la liberación, pero también es el que más riesgo tiene de caer en el abismo.

Muere a una edad muy avanzada en completa tranquilidad y se reencarna en su mismo signo, Capricornio, para alcanzar su liberación final.

ACUARIO

Desarrolla su vida en la entrega a los demás.

Es revolucionario, utópico, idealista y bastante excéntrico.

Parece que vive alejado de los hombres y de las pasiones de los hombres, pero es el que vive más comprometido con el destino de la humanidad.

Difícilmente encuentra la comprensión de los demás, que lo toman por loco, pero a él no le importa, tiene bastante con la carga de su propio Yo.

Busca la perfección en sí y en la naturaleza.

Se dedica más a su alma que a su cuerpo.

Cada error de la humanidad le duele como si fuera un error suyo.

Finalmente alcanza la tranquilidad y deja que la vida fluya.

En algunos momentos de su vida puede llegar a perder la cordura y fanatizarse en lo espiritual, pero generalmente se libera de la locura y alcanza la templanza y, a veces, la genialidad.

Muere en la ancianidad, en el olvido y la pobreza, pero feliz de la obra realizada. Reencarna en Leo para depurar su Ego.

PISCIS

Transforma sus neurosis y sus penas en genialidad científica, religiosa o artística.

Eleva su sensiblería a un estado de verdadera sensibilidad.

Su sacrificio deja de ser masoquista para convertirse en fructífero.

Recibe e irradia las propiedades de todos los demás signos.

Une a su cuerpo físico con sus cuerpos mental y espiritual, pero no llega a dominarlos.

Cuando equivoca el camino, sufre de complejo mesiánico y llega a creerse el hijo de Dios en la tierra.

Y si no lo equivoca, logra ayudar mucho a los demás con sus conocimientos, su arte y sus descubrimientos.

Muere viejo y enfermo, pero en plena actividad física, mental y espiritual. Se reencarna en Tauro para solidificar y administrar su sensibilidad.

LOS SIGNOS INICIADOS

Las personas Iniciadas, o muy evolucionadas, son realmente muy pocas en la tierra. Y sus características apenas si tienen que ver con la vida física.

No buscan la fama y si la llegan a tener es de manera accidental y de forma ajena a sus deseos.

Cualquiera puede llegar a estas cotas en su vida presente, aunque lo más frecuente es que requiera muchas vidas para lograrlo.

ARIES

Reconoce el verdadero fin de la vida, la muerte y la reencarnación y ejerce su poder de voluntad para trabajar en este sentido, pasando de lo más primitivo a lo más elevado.

TAURO

Vive iluminadamente sin deslumbrarse por la luz espiritual y divina.

Se sabe fuera de este mundo, pero no deja de dar luz a la vida terrestre, de la misma forma que da Luz a la Verdadera Vida.

GEMINIS

Deja de servir a los hombres y de servirse a sí mismo para servir al mundo espiritual.

Rompe con toda dualidad y diversificación porque encuentra el camino de la Verdadera Unidad.

CANCER

Renuncia definitivamente a todos los lazos humanitarios y afectivos. Percibe a toda la humanidad fuera de la masa y en una perfecta unidad. Extrae lo mejor y lo más puro de las profundidades.

LEO

Alcanza su aspiración de Dios al convertirse en un Hombre Verdadero en el plano espiritual. Deja su Ego personal por el Ego de la unificación y se olvida de todo lo concerniente a sí mismo.

VIRGO

Emana la actividad depuradora del espíritu y contagia a los demás del verdadero sentido de la salvación espiritual. Y da Luz, aún sin proponérselo, porque se erige en la Luz misma.

LIBRA

Representa al equilibrio adquirido donde el bien y el mal pierden sentido de ser y de influir en la vida, la muerte y la reencarnación.

Alcanza la comprensión del todo y el verdadero amor espiritual.

ESCORPIO

Se instala en la puerta de la vida y la muerte y llega a conocer a la Unidad más elevada después de haber recorrido los senderos de la más abismal profundidad. Y deja de luchar para convertirse en un verdadero discípulo.

SAGITARIO

Se erige en verdadero guía y director espiritual de los Hombres y de los hombres que llegan al más allá, definitivamente o en viaje astral, instalado en el Portal que hay entre la vida y la muerte, dejando pasar de vez en cuando algo de la Luz espiritual a los mundos físico y mental.

CAPRICORNIO

Conquista la muerte y se convierte en un verdadero Iniciado capaz de determinar la evolución física, mental y espiritual de sí mismo y de otros seres. Su vida física transcurre con los pies en el mundo material y la cabeza en el mundo espiritual.

ACUARIO

Su vida transcurre con un pie en el mundo astral y el otro en el mundo físico. Tiene la capacidad de realizar milagros, pero no se envanece de ello porque sabe que es simplemente un servidor de los hombres y que tiene que soportar, mientras viva, toda la carga del mundo.

PISCIS

Alcanza la responsabilidad espiritual y enseña a los hombres a responsabilizarse de todos y cada uno de sus actos. También les enseña que en cada uno de ellos se encuentra un verdadero hijo de Dios, un salvador que debe de salvarse a sí mismo y ayudar a los demás.

Cuando una persona alcanza estos niveles de evolución, deja de reencarnarse, o se reencarna una vez más para ayudar a la humanidad y para encaminarse al punto más elevado, donde se encuentra la puerta que lleva definitivamente al mundo espiritual.

Muy pocos son los que lo han logrado, pero el camino está trazado y la puerta permanece abierta.

CAPITULO OCTAVO

¿COMO ES EL MAS ALLA?

Cuando hablamos de la reencarnación no podemos evitar hablar de la muerte, o de la vida en el mundo espiritual.

Algunos dicen que nadie ha regresado del más allá para contar qué hay después de la muerte, pero esto no es cierto, muchas personas han tenido experiencias con la muerte y han regresado a este mundo para contarnos lo que han visto.

También existen personas que han experimentado el verdadero viaje astral (la salida o desdoblamiento del alma del cuerpo físico) y que han recorrido las esferas del mundo intelectual y el mundo espiritual.

Y por último, están los que han experimentado regresiones, observando su nacimiento en la vida actual y su muerte en la vida anterior.

Todas estas personas nos dan una idea clara de lo qué hay en el más allá de la vida, después de la muerte, porque todas ellas coinciden, sin importar sus creencias religiosas o intelectuales, en varios puntos clave.

La salida del alma, espíritu o cuerpo astral

Cuando el cuerpo físico muere, la persona experimenta, con gozo o temor, la salida de su cuerpo astral (muy parecido a su aspecto físico en la primera madurez), que puede ver sin problemas al cuerpo físico desvanecido.

El cuerpo astral, antes de emprender el camino a otras dimensiones, observa el entorno que rodea al cuerpo muerto, a los doctores, a los familiares o a cualquier otra persona que se encuentre en el lugar de los hechos.

También puede observar los muebles, los animales y las cosas.

Una vez que se ha dado cuenta que está muerto, realmente muerto, se eleva con celeridad a través de unos *canales* o *tubos*, oscuros o de colores, que le absorben. Al final de los *canales* se vislumbra una luz azulada y apacible y durante el recorrido se pueden mirar cosas, seres y sucesos extraordinarios.

Es frecuente que el cuerpo astral se encuentre, justo después de morir, al cuerpo astral de algún familiar o amigo que le guiará por los *canales* hasta el *cielo*, y digo *cielo* porque esta es la apariencia del lugar al que se llega al salir de los *canales*.

Una vez en este lugar nuboso azulado, el cuerpo astral se encuentra con figuras, músicas y coros angelicales que le hacen muy placentera su estancia en dicho lugar.

En esta zona pasa momentos que le parecen una eternidad y después, si aún no ha llegado su hora, es devuelto a la tierra. Pero si su hora ha llegado, el cuerpo astral empieza a sentir cierta angustia por lo que ha dejado en la tierra y regresa para despedirse de los suyos o para tratar de ayudarlos.

Puede pasar un año de tiempo terrestre tomando contacto con la tierra a través del mundo intelectual, porque es en el mundo intelectual donde se encuentran las ideas y las creencias.

Desde el mundo intelectual puede observar lo que pasa en la tierra, pero sólo en muy raras ocasiones puede realmente intervenir.

En este mundo intelectual el cuerpo astral se puede encontrar con figuras míticas y religiosas de todos los cultos y de todos los tiempos, de la misma forma que se puede encontrar con personas que están soñando o que están intentando contactar con el más allá de diversas maneras: la ouija, la concentración o el viaje astral, por ejemplo. Y puede comunicarse con estas personas, pero difícilmente llega a un claro entendimiento.

Cuando el año terrestre pasa, el cuerpo astral se ve obligado a subir al mundo espiritual y es nuevamente absorbido por los canales que le llevan al cielo.

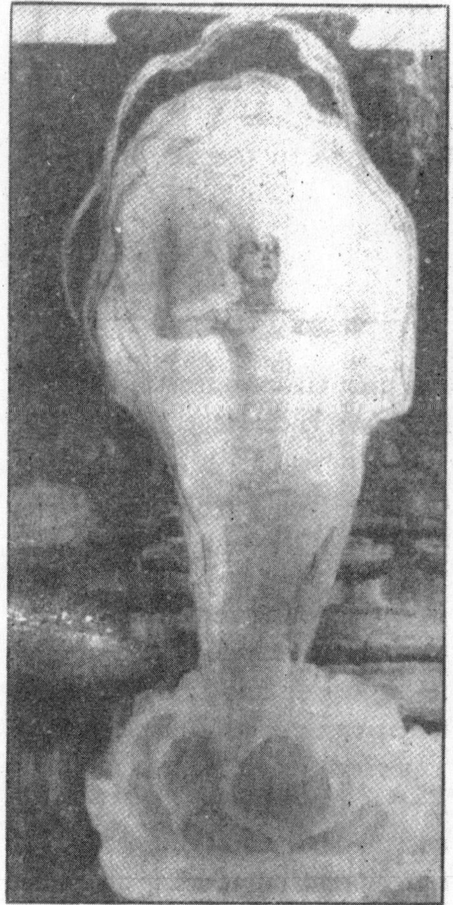

Desprendimiento del cuerpo astral

El Mundo Espiritual

Al llegar a la zona nubosa celeste, el cuerpo astral vislumbra una potente y diáfana luz espiritual que le atrae. Se dirige a ella y se encuentra con una gran puerta vigilada por un enorme guardián de color azulado que, si está verdaderamente muerto, le deja pasar.

Más allá de la puerta está el verdadero mundo espiritual, donde el cuerpo astral recuerda su verdadera identidad y de todas las identidades que ha tenido en la tierra, y también recuerda la dimensión astral o el rango al que pertenece.

Y desde el mundo espiritual espera y prepara su próxima reencarnación.

El Regreso

El cuerpo astral prepara su próxima reencarnación desde el mundo espiritual, escogiendo el país, la ciudad, el barrio y la familia donde ha de nacer.

Por tanto, escoge también la base de su destino, su sexo, apariencia, el medio ambiental, la posición social y la posición económica.

Y antes de entrar en el nuevo cuerpo (supuestamente a los catorce días de haberse fundido el espermatozoide y el óvulo, según unos, o bien, a partir del tercer mes de embarazo o unos momentos antes de ver la luz terrestre, según otros), repasa una especie de guión visual de lo que será, más o menos, su destino personal en el mundo físico.

Es decir, que antes de reencarnarse, el cuerpo sabe y acepta en líneas generales, en tres o cuatro aspectos puntuales, lo que será su vida en la tierra, comprometiéndose en ese momento al olvido de sus vidas anteriores.

Algunos vuelven a repasar su futuro, guiados por su cuerpo astral, que se convierte del nacimiento hasta la muerte en su Padre Astral, cuando están en la cuna, mucho antes de saber hablar.

Entonces, el velo del olvido se corre definitivamente hasta que la persona vuelva al mundo espiritual, con el fin de que se haga responsable humana, mental y físicamente de su propia vida.

Estos son los puntos en que coinciden los que han tenido, y recuerdan, una experiencia con el más allá y la reencarnación.

Es cierto que algunas almas se pierden y se niegan a ir hacia la Luz, quedándose enganchadas al mundo intelectual (Purgatorio para unos y Campos Elíseos para otros), porque en este mundo encuentran demasiadas similitudes con el mundo físico, pero perfeccionadas por el poder de las ideas.

Sí, en el mundo intelectual existe el sexo, los vínculos afectivos, el trabajo, las artes, etcétera.

Y los cuerpos astrales que se quedan en él, mirando siempre hacia el mundo material y negándose a mirar hacia la Luz, hasta que son llamados y obligados a reencarnarse precipitadamente, sin la debida preparación, lo que hará sus vidas físicas más difíciles. Y serán más difíciles, no por un cruel castigo, sino para que aprendan a deshacerse de los lazos materiales, afectivos e intelectuales.

Este es el caso de muchos, quizá demasiados, cuerpos astrales que en vida han sido suicidas, asesinos, pervertidos, degenerados, fanáticos, poderosos, etcétera, que se niegan sistemáticamente, por temor de enfrentarse a Dios o por amar demasiado los placeres de la tierra, a ir hacia la Luz.

Muchos de estos cuerpos, no todos, sufren los abortos, las enfermedades hereditarias, las enfermedades incurables, los nacimientos difíciles, la mortandad infantil y otros males que aquejan a la humanidad. Pero no como un castigo, repito, sino para que aprendan a desligarse de su orgullo, de sus temores y de sus lazos materiales.

Los fantasmas y los espíritus malignos

Por lo que respecta a los fantasmas, hay que decir en esta oportunidad, que sólo son sombras sin inteligencia que los hombres hemos ido creando con nuestros temores, nuestros sufrimientos, nuestros miedos y nuestras penas.

Los que han estudiado de una forma *científica* el tema, aseguran que son impresiones nitrogenadas, o esencias ectoplasmáticas compuestas de nitrógeno y adrenalina, capaces de repetir durante siglos una misma secuencia: un asesinato, una queja, etc., a través de una aparición audiovisual que se puede filmar, fotografiar, grabar y, por supuesto, ver en directo.

Y los espíritus malignos son tan sólo seres elementales que nunca han sido humanos y que, posiblemente, nunca lo serán, que se aprovechan del miedo, la sensibilidad, la energía mental y la credulidad de algunas personas para hacer sus travesuras.

Estos espíritus malignos son incapaces de hacerle mal a nadie, con excepción de las personas que ya padecen un trastorno mental o cardíaco, que entraría en crisis de cualquier otra manera.

Los espíritus malignos no precipitan estas enfermedades, por regla general es la misma persona enferma la que utiliza a los espíritus malignos como pretexto para entregarse sin reparos a su enfermedad.

Es más, algunas personas aparentemente sanas se aprovechan

Dios, pretexto de las iras de los hombres

de los elementales, o espíritus malignos, para llevar a cabo sus propios deseos.

El hombre siempre ha sido muy proclive a culpar o a responsabilizar a Dios y al Diablo de sus bienes o de sus males, dejando de lado las responsabilidades físicas, mentales y espirituales que tiene para consigo mismo.

Ni Dios enaltece, ni el Diablo envilece, si no damos nosotros el primer paso hacia el bien o hacia el mal.

Los Angeles o Espíritus Benignos

Los ángeles, o espíritus benignos, son la imagen distorsionada, por el filtro del mundo intelectual, de nuestros propios padres astrales, es decir, de nosotros mismos en el mundo espiritual.

Su capacidad para ayudarnos es mínima, sólo pueden darnos una guía o un poco de luz, pero nada más. Es más efectiva nuestra fe y nuestras creencias que ellos mismos.

Nuestra mente y nuestras ideas tienen más poder de realización en el mundo material que los ángeles, o que nuestro Dios particular.

Sí, existen y están allí, pero no intervienen en la vida para satisfacer los elementales deseos egoístas de los seres humanos.

Angel, o cuerpo astral superior

¿Se pueden recordar las vidas anteriores?

Sí, pero no de una manera muy clara.

Se han hecho muchos experimentos hipnóticos y ocultistas para recordar las vidas pasadas, pero sólo en un porcentaje muy reducido resultan exactos los *recuerdos.*

Personalmente he conocido cientos de personas que aseguran ser la viva reencarnación de la Virgen María, Jesucristo, Napoleón, Paganini, Nerón, Mozart, etc., por no hablar de los lamas y budas que andan por ahí. Y todas estas personas hablan de sus *recuerdos,* incluso aportando nuevos datos militares, religiosos o musicales, y en idiomas que desconocen (lo que no deja de ser un fenómeno interesante), como si fueran verdaderos. Desgraciadamente dichos

Como en el nacimiento mítico de Minerva, nuestra mente es capaz de liberar recuerdos de nuestras vidas pasadas

recuerdos se desbaratan ante cualquier confrontación con la realidad.

Quizá sea cierto que alguno de los grandes personajes de la antigüedad se encuentre reencarnado entre nosotros, pero cien reencarnaciones a la vez de Cristo, Mozart o Napoleón resultan bastante sospechosas.

Como decía en un principio, sí existen personas que recuerdan vagamente una vida anterior. Personas que aportan datos y fechas más o menos exactos. Personas que muestran un traumatismo o cicatriz de nacimiento que concuerda con la forma de morir, o con un accidente, que tuvieron en esa vida anterior.

Algunos han rescatado pequeños tesoros de sus vidas pasadas, otros se han reencontrado con personas que conocieron en su reciente vida anterior.

Y la mayoría de estas personas no han tenido que pasar por las manos de un hipnólogo, un psiquiatra o un mago, para recordar sus vidas pasadas, no. La mayoría de estas personas se han acordado de sí mismas de forma espontánea, como quien recuerda el nombre olvidado de un viejo conocido, o como quien se acuerda del sueño que ha tenido la noche anterior.

En suma, que sí se pueden recordar las vidas anteriores, pero ninguna regresión apoyada por un psiquiatra o un mago, a través de la hipnosis, la sugestión o el viaje astral, garantiza el éxito del experimento, entre otras cosas, porque nuestro cerebro encuentra más cómodo imaginarse que fue Julio Cesar, Juana de Arco o el XIII Dalai Lama, que afrontar que fue Juan Pérez o John Smith, vendedor o administrativo, y que murió de gripe sin dejar la menor huella de su paso por la tierra.

Casi nadie quiere aceptar un pasado común y corriente, una

vida pasada sin trascendencia en la tierra, olvidando que la trascendencia de la vida se encuentra más allá de la muerte y no en los medios de difusión terrestre.

El hombre quiere ser importante, y si no lo es en esta vida, le gustaría serlo en una vida pasada, sin percatarse que tener importancia en la tierra no tiene la menor importancia: el hombre apenas es un soplo en este planeta, que es a su vez una mota de polvo instalada en el extremo de una galaxia.

Nos olvidamos que físicamente apenas si somos nada.

Dentro de nuestros *recuerdos* sobre nuestra vida pasada, se encuentran otros puntos que generalmente nos pasan desapercibidos: hay veces que nos encontramos con una persona y la aceptamos o la rechazamos instantáneamente, sin saber por qué, como si conociéramos de toda la vida que nos es simpática o antipática.

Incluso entre los miembros de nuestra familia, encontramos a personas que nos resultan más o menos agradables. Poco tienen que ver los lazos sanguíneos con las fobias o simpatías que nos despiertan nuestros padres y hermanos.

Lo mismo sucede con el amor: nos encontramos de pronto a una persona que se acomoda de tal manera a nosotros, que parece que conociera nuestros gustos y nuestros temores desde siempre.

En la vida nos encontramos con personas que despiertan nuestra admiración o nuestro respeto sin que hayan hecho nada para ganárselos, mientras que otras personas tienen que hacer muchos esfuerzos y méritos para que nos fijemos en ella.

Hacemos el bien a unos y el mal a otros sin saber el porqué de nuestra actitud.

Vamos de viaje a una ciudad que nunca habíamos visitado, y al llegar resulta sabemos dónde está tal calle o dónde está la farmacia, pero no sabemos por qué lo sabemos.

Y todo son *recuerdos*, verdaderos recuerdos de nuestras vidas pasadas. Pequeños detalles que generalmente nos pasan inadvertidos.

Quizás en una vida pasada fuimos padres de nuestra actual madre, o esposas de nuestros actuales hermanos.

Quizá vivimos en otro país y en otra ciudad, en la que tuvimos un gran amor o muy buenos amigos, y en nuestra vida presente nos afanamos en buscarlos sin encontrarlos.

Y quizás en nuestras próximas vidas nos reconciliemos con los enemigos que tenemos en la presente.

Las almas tienden a reencarnarse en los lugares y entre la gente que han conocido en vidas anteriores, y sólo cuando han cumplido un ciclo con toda esa gente se deciden a reencarnar en nuevos sitios.

También recordamos idiomas, gestos y habilidades de nuestras vidas anteriores, y recordamos otras cosas más sutiles: un amor fallido, un trauma infantil, un error que nos trastornaba, etcétera.

Pero la mayor parte de nuestros recuerdos quedan velados por el olvido, guardados en el inconsciente, para salirnos al encuentro cuando regresamos, después de morir, al mundo espiritual.

Es entonces cuando recordamos de verdad nuestras vidas anteriores y acumulamos todas las experiencias que nutren nuestra evolución espiritual y nuestro aprendizaje.

¿Cuál es nuestra misión en la vida?

Muchas de las personas que han tenido una experiencia con el más allá, han escuchado en las esferas superiores las siguientes palabras: "Cumple tu misión", y pasan la vida preguntándose, "¿Cuál es mi misión en la tierra?"

La respuesta es tan sencilla que muy pocos caen en la cuenta: la misión de toda alma en la tierra es simplemente vivir, vivir hasta la última consecuencia, sea cual sea su vida.

No hace falta ninguna gesta heroica, tampoco es necesario un sacrificio excesivo o conseguir la fama, ni ser un miserable o un vagabundo. Cada quien escoge su vida antes de nacer, cada cual realiza la tarea que ha elegido. Todos, absolutamente todos, somos parte esencial de la vida, la muerte, la reencarnación y la evolución espiritual, y lo único que tenemos que hacer en esta vida es vivir para que el plan global se cumpla. Nuestra vida, vivida íntegramente, es nuestra única y verdadera contribución, porque la muerte ya la tenemos segura, y de la reencarnación poco recordamos, hasta que volvemos a encontrarnos con ella.

APENDICE

LOS CASOS DE LA REENCARNACION

No podíamos dejar este libro sin mencionar el tema de los distintos casos que intentan convalidar la teoría de la reencarnación por medio de la experiencia personal.

El relato de estas experiencias resulta tan atractivo como ilustrativo, ya que, además del fenómeno de la reencarnación, se refieren al más allá, a lo que sucede después de la muerte.

La muerte es uno de los temas que más interesa a los hombres, entre otras cosas, porque todos moriremos alguna vez. Y si hemos de enfrentarnos a este trance, preferimos hacerlo con la idea de que hay algo en el más allá.

Los antiguos griegos, persas, caldeos y babilonios tenían suficiente con suponer que había un mundo triste y gris que les esperaba en el más allá, por lo menos tenían esa esperanza.

Los incas creían, popularmente, que sus muertos irían a un mundo frío y material, intermedio entre el nuestro y el de los dioses, en donde se necesitaría abrigo, joyas y comida para sobrevivir.

Los aztecas, como muchos mexicanos de hoy, creían que los

muertos se encontraban entre los vivos, compartiendo espacios, afectos y suerte.

En general, para las culturas prehispánicas el acceso al mundo de los dioses estaba reservado a los sacerdotes, los sacrificados y los reyes, y aunque no era un mundo ideal, no padecerían las necesidades terrenales que les tocaba padecer a los muertos comunes.

Entre estos pueblos no existía una clara idea de la reencarnación, aunque popularmente se creyera en la posibilidad de volver a vivir, o en la posibilidad de burlar a la muerte y escapar de sus garras.

La inmortalidad, como cuestionamiento, tampoco tenía ningún sentido, ya que, de una manera espontánea, creían que la existencia duraba para siempre. No podían concebir que algo que existía pudiera dejar de ser o desaparecer para siempre. No creían en la inmortalidad, pero daban por entendido que todo, personas, animales y cosas, existirían para siempre.

Los antiguos pobladores de Norteamérica sí tenían un concepto sobre la reencarnación y la pervivencia en el más allá, así como en la relación directa con sus dioses. Para ellos, la naturaleza y los seres que la habitaban era un cobertizo suficiente a sus deseos de eternidad y trascendencia después de la muerte.

Por ello, las experiencias personales sobre el estado de la muerte que tenían los pueblos antiguos era muy casera. Tenían, por decirlo de alguna manera, muy a mano a sus muertos, y las comunicaciones que establecían con ellos les traían noticias del más allá.

En la *Odisea* podemos leer cómo Ulises se entrevista con sus amigos y familiares muertos, y cómo estos, a pesar de su eternidad, le dicen que es mejor estar vivo que muerto.

La experiencia de la muerte, desde ese punto de vista, más que traumática o liberadora, era simplemente triste.

Los pueblos prehispánicos, menos dramáticos, al hablar con sus muertos entendían que la muerte era un paso más en el camino de la vida que, lejos de ponerles en contacto con los dioses, les permitiría deambular por la tierra a su antojo. Para ellos la experiencia de la muerte era dolorosa o no, dependiendo de las circunstancias de la misma. Los guerreros y los sacrificados, a pesar de lo que decían los sacerdotes, al hablar con sus familiares vivos relataban experiencias poco agradables.

Con el tiempo y la invasión de las religiones europeas, los aborígenes americanos llenaron de imágenes su más allá, y con la aparición del espiritismo reforzaron, y en algunos casos sacralizaron, sus charlas con los muertos.

Las creencias populares en Europa no difieren sustancialmente de las creencias populares de América. Para unos y para otros la muerte es una gran productora de fantasmas, familiares o no, que comparten de cierta forma nuestro espacio físico y vital.

En oriente, y al margen de las religiones, sucede algo parecido, aunque las leyendas populares tienden a dar un sentido dramático y terrible a los distintos fantasmas que pueblan los bosques y los caminos, también existen los fantasmas familiares que permanecen en un rincón del hogar sin molestar demasiado.

Actualmente, las ideas que se tienen sobre la muerte y la reencarnación siguen alimentadas más por las creencias y tópicos populares, que por las indicaciones de los religiosos, los esoteristas, los científicos y los filósofos.

La gente está más ávida de conocer los casos personales, falsos o verídicos, que las teorías, intrincadas o no, sobre el tema.

Hoy en día existen muchos libros que hablan sobre las diversas experiencias de distintas personas con respecto a la reencarnación y a la muerte.

Los espiritistas no cristianos son una constante fuente de relatos personalizados sobre la muerte, la estancia en el más allá y la reencarnación.

Sobre estos casos, y otros que he ido recopilando personalmente, hablaremos en lo que resta del presente libro.

Reencarnaciones de famosos

Como ya hemos apuntado antes, las personas que han pasado por ciertas experiencias de muerte y reencarnación tienen tendencia a creer que en sus vidas pasadas fueron algún famoso.

Entre los espiritistas se cuentan diversas reencarnaciones de Mozart, Shakespeare, Nerón y Napoleón, por ejemplo. Algunas de estas personas han sido capaces, incluso, de escribir música, literatura o estrategias de guerra y estado al estilo de sus posibles antecesores.

El primer problema, ante estos casos de reencarnación, es que son muchos los que aseguran ser la reencarnación de tal o cual famoso. Si tomamos en cuenta lo que los budistas tibetanos dicen al respecto, es posible que existan hasta cinco reencarnaciones de una persona altamente espiritualizada, pero hoy todos sabemos que muchos de los personajes históricos, pese a su fama y talento, carecían de la más mínima preparación espiritual.

Es muy difícil pensar en Nerón accediendo al nirvana.

Personalmente he conocido por lo menos 5 casos interesantes de personas que creían ser la reencarnación de la virgen María y otros 3 de Cristo, pero ninguno, interesante o no, de Poncio Pilatos, y es que los malos de la historia tienen pocos seguidores. Estas personas parecían estar convencidas de su experiencia y trataban de una o de otra manera seguir los pasos de sus "reencarnaciones" anteriores, algunas estaban obsesivamente convencidas.

Por la televisión podemos ver, de vez en cuando, programas dedicados al esoterismo en donde aparece una que otra persona que asegura ser la reencarnación de algún famoso, y se lo toma tan en serio que llega a impresionar a muchos y a convencer a unos cuantos que, indefectiblemente, se convierten en sus seguidores.

Quizás alguna de estas personas sea la verdadera reencarnación de un prominente personaje de la historia, sin embargo, es muy difícil corroborarlo, entre otras cosas, porque en los casos de las reencarnaciones de Cristo y de la Virgen hay poca documentación histórica al respecto, es decir, que aún no está probado científica ni históricamente que tan importantes personajes para la Iglesia Católica hayan existido de verdad.

Si tomamos a la reencarnación como una creencia más, todo es posible dentro de ella, pero si queremos ser mínimamente objetivos, dentro de lo que cabe, no podemos tomarnos a la ligera las posibilidades de haber sido tal o cual persona en nuestras vidas pasadas, especialmente si se trata de reencarnaciones tan compartidas como las de Cristo y la Virgen.

Seguramente en oriente existan muchas personas que aseguren haber sido Buda, Confucio o Lao Tse, y en Norteamérica no faltarán los que pretendan ser la viva reencarnación de John Lenon, Abraham Lincoln o Elvis Presley, porque en las ideas culturales de cada región se reflejan los deseos de haber sido alguien importante en una vida pasada.

La verdad es que la mayoría de nosotros, de ser cierta la teoría de la reencarnación, en nuestras vidas pasadas debimos haber sido gente común y corriente, con una vida normal, pero como nadie va a regresar a investigarlo, nos encanta la idea de haber tenido un pasado glorioso. Para este fin, nuestra mente es capaz de absorber la personalidad de la persona que creemos haber sido en otra vida, y de desarrollar ciertos talentos, parecidos a los de nuestro "antepasado", que teníamos dormidos hasta entonces.

De esta manera una encarnación pasada, nuestra o no, nos

anima, estimula e inspira a escribir partituras de Beethoven, a cantar como Elvis Presley o a pintar como Da Vinci. Lo que sin duda sería positivo, siempre y cuando no cayéramos en la obsesión, el delirio y la locura.

Los casos lacrimógenos

En las sesiones de regresión mental es habitual ver y oír a las personas sometidas al experimento, llorar y gritar cuando recuerdan su vida pasada, especialmente en el momento de la muerte, a menudo trágica y grandilocuente, o al recordar la pérdida de un ser querido en la vida pasada, para pasar después a un relato de paz y tranquilidad experimentado en el más allá.

Algunas de estas regresiones resultan sorprendentes por la carga emotiva que contienen, y a menudo peligrosas por la capacidad de desestabilizar el poco equilibrio mental que tienen algunas personas, pero muy pocas veces resultan fidedignas.

Los casos lacrimógenos de reencarnación son más una forma de llamar la atención y la lástima de los contertulios, que una verdadera experiencia de regresión a las vidas pasadas. Además, resulta curioso y sospechoso que las personas experimentadas reflejen, más que los estados de muerte, reencarnación e iluminación, ideas y mitos de su cultura. Los católicos perciben un más allá y una reencarnación católica, y los orientales perciben un más allá y una reencarnación oriental.

Un africano raras veces relata cosas que no tengan que ver con su entorno inmediato, mientras que un europeo, con más información en su cerebro de lo que debe ser el mundo, habla de las otras culturas tal y como las visto en el cine o en la televisión, pero casi nunca como son en realidad.

A Shirley MacLaine le hablan espíritus de lengua inglesa y, según sus libros, cuando tiene una experiencia a través de una persona que habla otro idioma, necesita un intérprete. Y como a ella, le sucede a la mayoría de las personas.

Ante ello sólo cabe pensar dos cosas:

1 - Que en el más allá siguen existiendo diferencias culturales, sociales y lingüísticas, es decir, que el más allá es muy pobre.

2 - Que el más allá es un supuesto limitado por nuestras ideas y nacionalidad, teniendo muy poco que ver con la realidad y sí mucho con nuestra fantasía y nuestro deseo de trascender.

El primer caso sería, si no aberrante, si desmoralizador. De nada nos serviría morir y nacer de nuevo, no avanzaríamos nada vida tras vida, ni en inteligencia ni en espiritualidad, y la muerte y la reencarnación serían tan fraudulentas como la vida misma.

En este caso el budismo tendría razón: todo es un ilusión y la vida, así como la encarnación y la reencarnación, es un paso tan inútil como doloroso.

Pero los occidentales, poco observadores y más amantes de la comodidad, pasan por alto estas minucias y prefieren imaginarse un más allá demasiado parecido al más acá, casero, blando, lacrimógeno y sacramente limitado.

En el segundo supuesto, todas nuestras ideas sobre espiritualidad y más allá no serían otra cosa que supersticiones dignas de colegiales atemorizados ante el examen de la muerte.

La reencarnación por geografía y cultura

El aspecto cultural no sólo delimita las experiencias y el tipo de experiencias, sino que además ha ido variando por geografías.

Hasta antes de que la idea de la reencarnación se extendiera en todo el mundo, pocas eran las personas que decían recordar su vida pasada. Sólo los orientales hablaban de esas cosas.

Los aborígenes norteamericanos hablaban de reencarnarse, pero no en otras personas, sino en el búfalo, el águila o la tierra, por tanto, no relataban historias sobre sus vidas pasadas.

Con los africanos pasaba algo parecido, hablaban de reencarnarse en el león, en las plantas o en el cocodrilo, pero no tenían ninguna intención de volver a la tierra convertidos en hombres.

Pero al extenderse la idea, especialmente a principios de siglo hasta nuestros días, en todos los países del mundo se dan casos de personas que dicen recordar su vida anterior. Lo curioso es que la mayoría habla de su vida pasada en lugares más o menos cercanos y conocidos.

Los que son muy patriotas recuerdan sus vidas anteriores dentro de la misma patria. Y los que tienen un alto sentido familiar recuerdan su vida pasada entroncada a la misma familia y a los mismos amigos.

Los que están orgullosos de su raza y de su tierra raras veces, o nunca, recuerdan haber sido de otro color.

Mientras que los más cosmopolitas y viajeros recuerdan vidas de todos los colores y en toda clase de países, como los europeos y los norteamericanos, y sin dejar de lado a las personas cosmopolitas de otras latitudes.

Lo curioso es que pocos recuerdan, cuando aseguran haber sido un soldado alemán de la segunda guerra mundial, una sola palabra o expresión típicamente alemana.

Curiosamente, las personas influidas por las películas de guerra tienen cierta debilidad por creer que en su vida anterior fueron soldados alemanes, de la misma manera que creen haber sido romanos, indios o vaqueros, las personas aficionadas a cada uno de estos temas.

En suma, que aparte de los famosos, de manifestar dolor en busca de afecto y de la cultura y la geografía, existen pocas cosas que condicionen nuestras creencias y prejuicios sobre la reencarnación. Por tanto, es recomendable coger con pinzas los casos que hagan demasiada referencia a estos tópicos.

Si usted, antes de leer libros esotéricos, no tenía ninguna experiencia reencarnacionista, es muy posible que se sienta influido por tal o cual obra y empiece a creer que fue otra persona, principalmente famosa o atractiva, en alguna vida pasada. Si es así, le recomiendo que desconfíe de su propia fantasía.

Los casos

Los casos más fiables suelen ser los de personas que recuerdan sus vidas anteriores de una manera sencilla, sin necesidad de regresiones, meditaciones o influencias externas, centradas más en el aspecto humano y cotidiano que en los dolores o en las obras.

Por supuesto, las experiencias traumáticas de vidas anteriores se recuerdan con más frecuencia y mayor facilidad, pero son hechos puntuales y repetitivos que no afectan el concepto general de una vida anterior.

Los recuerdos suelen darse, preferentemente, durante los años de la infancia, cuando la persona aún no se encuentra condicionada por su medio ambiente. Y los niños, tan fantasiosos como son, raras veces cuentan que en su vida pasada fueron Dart Vader o Lucas Skywalker, Mozart o Bach, simplemente hablan de otros padres, de otros hermanos y de otras situaciones de la vida cotidiana a las que tienen en la actualidad.

Por ejemplo, no son pocos los niños que dicen haberse llamado de otra manera, ni son pocos los que hablan de sí mismos diciendo que "cuando eran padres", o abuelos, habían hecho tal o cual cosa con sus hijos. Y a menudo podemos oír a un niño varón decir: "cuando yo era niña".

En este sentido, la mayoría de los niños recuerdan alguna de sus vidas pasadas, para irla olvidando a medida que se hacen mayores.

Otra de las fuentes para recordar quién hemos sido en otro tiempo son los sueños.

La capacidad onírica del hombre para desafiar el espacio tiempo cotidiano y alcanza regiones desconocidas para el consciente.

Durante los sueños podemos recordar situaciones, lugares, idiomas y personalidades pertenecientes a vidas anteriores.

Muchas de las experiencias traumáticas de otras vidas se manifiestan en nuestras pesadillas.

Los recuerdos frescos de una vida pasada se manifiestan en la infancia principalmente, mientras que los sueños regresivos no suelen tener edad, aunque parece ser, por los estudios realizados, que son más lúcidos y recurrentes cuando la persona va a realizar un cambio en su vida.

De esta manera, es común soñar con una vida pasada en las edades de los cambios fisiológicos, es decir, a los 7, los 14, los 21, los 28, los 35, los 42, los 49, los 56 y los 63 años de edad.

También es frecuente que durante estas edades las personas tengan una mayor tendencia a las cosas ocultas y misteriosas, a descubrir y a crear.

A partir de los 70 años, según los estudios realizados, la persona recuerda más los hechos lejanos de su vida actual y vislumbra los posibles hechos de su próxima vida, que los hechos de su vida pasada.

A los siete años suelen mezclarse los recuerdos naturales con los sueños, o bien los recuerdos naturales de una vida pasada van pasando a formar parte del repertorio de sueños personales.

A los 14 años los recuerdos naturales casi han desaparecido del todo, pero los sueños son ricos en experiencias de vidas anteriores.

A los 21 años, con el paso a la madurez glandular, los recuerdos oníricos de las vidas pasadas suelen estar relacionados principalmente con los traumas violentos o dolorosos de nuestras anteriores reencarnaciones.

A los 28, con los últimos coletazos de rebeldía juvenil, los recuerdos suelen ser constructivos o autodestructivos, e inciden generalmente en los aciertos y errores que cometemos a dicha edad.

A los 35 años los recuerdos oníricos se apaciguan y pasan a conformar una especie de vida paralela que realizamos en los sueños, a la que no prestamos demasiada atención cuando estamos despiertos.

A los 42 años nuestros sueños de la pasada personalidad se confunden con los recuerdos de nuestra juventud en la vida actual, como si ambas personalidades se fundieran en una sola. El meridiano de nuestra vida está cerca y deseamos, consciente o inconscientemente, aferrarnos a las etapas juveniles de nuestras existencias.

A los 49 años los recuerdos son mucho más confusos y complicados, entre otras cosas, porque recordamos ciertas zonas del más allá, no siempre agradables, en lugar de recordar nuestra vida física pasada. Estos recuerdos inciden en los deseos de cambio o estabilidad a los que aspira la persona.

En cierta forma y especialmente en el caso de los hombres, los recuerdos oníricos se complican con la crisis de los cuarenta, cuando la entidad masculina adquiere conciencia de la vejez, la pérdida de atractivo y la proximidad de la muerte.

Lo mismo sucede con las mujeres en los recuerdos de vidas pasadas sucedidos en torno a los 56 años.

A los 63 años las tendencias de escepticismo y credulidad se mesuran y equilibran, y los recuerdos de vidas pasadas son más apacibles e infantiles, es más, estos recuerdos están más relacionados con las experiencias infantiles de vidas pasadas, que con cualquier otra etapa vital.

Pero no sólo en estas edades se manifiestan los recuerdos oníricos de vidas pasadas, también influyen en nuestros recuerdos los cambios personales, como las bodas, los viajes, las grandes ganancias, las grandes pérdidas, los reveses de la vida, etc., obstaculizando o respaldando nuestros actos en la vida actual.

Un problema puntual en una vida pasada puede condicionar nuestra capacidad de acción y reacción en un problema parecido en nuestra vida actual.

Existen cosas y personas que no somos capaces de digerir desde la infancia sin aparente razón, porque es muy posible que no hayamos sabido enfrentarlas en una vida pasada. Y precisamente cuando nos hayamos frente a un acontecimiento difícil de nuestra vida actual, recordamos en nuestros sueños ciertos hechos parecidos que ya hemos experimentado en una vida anterior.

Lo mismo sucede con los eventos agradables y triunfales de

nuestra vida actual, pero no solemos prestarles demasiada atención en esas manifestaciones oníricas de nuestra vida pasada.

Las habilidades

Las experiencias pasadas en nuestras vidas anteriores nos dan una serie de habilidades que podemos desconocer y pasar por alto durante largos años.

Sólo en pocos casos nuestro aprendizaje en vidas anteriores nos convierte en niños prodigio.

Es más, a menudo evitamos relacionarnos con los temas que dominábamos en vidas anteriores.

De cualquier manera, estas habilidades persisten y se manifiestan alguna vez en nuestra vida actual, sorprendiéndonos a nosotros mismos.

No son pocas las personas que descubren tardíamente una habilidad.

Algunas se dan cuenta de que son hábiles jinetes a pesar de haber nacido y crecido en una gran ciudad. Montan con facilidad y fluidez sin proponérselo apenas, es más, a menudo resulta que hasta un momento antes de subirse al caballo sentían cierto temor y repudio por los caballos.

De la misma manera pueden manifestarse habilidades, dones y talentos en diversos campos.

Usted mismo puede encontrarse un buen día que es capaz de hacer, con acusada habilidad, tal o cual cosa que no había tocado en su vida.

Esta inspiración espontánea se debe a menudo a las habilidades que habíamos desarrollado en alguna vida anterior.

Lugares, personas y cosas

Entre los budistas tibetanos existen ciertas pruebas para corroborar que un niño determinado es la reencarnación de algún lama.

Entre estas pruebas, el niño debe reconocer como suyas las pertenencias del lama fallecido.

Pero no son sólo los lamas reencarnados los que son capaces de reconocer sus objetos personales de una reencarnación anterior. Muchas personas sienten una especial atracción por viejos objetos, o por modernos objetos que les recuerdan sus posesiones materiales en una vida pasada.

Y no se trata sólo de las antigüedades o de objetos específicos. También tenemos especial predilección por modas, colores y objetos genéricos de una época anterior.

Un traje común del siglo XVII, por ejemplo, puede traernos recuerdos y a menudo nos imaginamos vestidos de esa manera y pensamos que dicho traje no nos sentaría nada mal. Es decir, que sin habernos vestido nunca de esa manera, nos sentimos inmediatamente identificados con ese tipo de trajes.

Una fotografía antigua, aunque nada tenga en común con nuestra vida actual, puede resultarnos familiar. Es más, podríamos reconocernos dentro de ella de no haber sido tomada a principios de siglo, muchos años antes de nuestro nacimiento.

Con las antiguas fotos familiares es normal que suceda, pero no lo es cuando nos sentimos identificados con fotos y documentos que nada tienen que ver con nuestro actual linaje.

Algo similar nos pasa con ciertos lugares. Casas, avenidas y ciudades que no habíamos visto nunca en nuestra vida actual, son capaces de traernos recuerdos de una existencia pasada.

En algunos casos se ha llegado a recordar una casa detalladamente, una plaza como había sido exactamente hace 50 años, cuando la arquitectura moderna no la había transformado, o una ciudad entera con sus calles y monumentos, a pesar de no haber estado nunca ahí, por lo menos en la vida presente.

Estos recuerdos, al impresionarnos por convertirse en realidad de cierta manera, pueden hacer que nuestros sueños transcurran bajo antiguas formas verbales o usanzas en el habla o, incluso, transcurrir en otro idioma cuando la ciudad recordada pertenece a un país extranjero.

A veces enfocamos dichos recuerdos como sueños premonitorios, sin darnos cuenta que no veíamos el futuro, sino que recordábamos el pasado.

Existen personas que han cambiado su lugar de residencia porque han descubierto un lugar en el que se sienten como en casa, y al que conocen, sin haber estado nunca ahí, como la palma de su mano. Por supuesto, esto sucede si las experiencias vividas en esa ciudad en una reencarnación anterior han sido agradables y positivas, porque también existe el caso de que no queramos poner los pies en un país o ciudad determinada porque sin motivo aparente nos pone los pelos de punta.

Las experiencias negativas o traumáticas sufridas en una vida anterior, con respecto a determinados lugares, nos hacen huir de ellos.

Algo similar nos sucede con las personas. Con unas nos cuesta más relacionarnos que con otras.

Existen personas con las que compartimos un espacio vital durante años, y no les dirigimos nunca la palabra o somos incapaces de integrarnos a ellas aunque sean bellísimas personas.

Y por otro lado, nos hacemos amigos o enemigos espontáneos de otras personas, aunque no hayamos tenido más que una relación efímera.

Por supuesto que muchas de nuestras simpatías y antipatías obedecen a una razón clara y actual de diferencia de caracteres, personalidades y objetivos, o a una razón subjetiva y prejuiciosa, pero relacionada con nuestra vida actual. Existen suficientes diferencias y compatibilidades entre las personas como para decantar nuestra aceptación o animadversión hacia unos y otros.

Pero hay veces en que aceptamos o rechazamos a una persona de entrada, sin pensarlo siquiera. Es más, hay veces que a pesar de lo mal que nos caiga una persona nos relacionamos íntimamente con ella, o que soportemos a personas que para los demás son claramente insoportables.

Esta relación se puede explicar con el fenómeno de la reencarnación. Es decir, que es muy posible que ya hayamos conocido, en una existencia anterior, a las personas con que nos relacionamos, peleándonos o entendiéndonos, en esta vida.

En cada vida hacemos nuevas amistades y experimentamos nuevas relaciones, pero aquellas que nos han marcado en vidas anteriores vuelven, de una o de otra manera, a entrar en contacto con nosotros. Y a pesar de lo bien o mal que nos llevemos con ellas, parece que las conozcamos de toda la vida y las aceptamos tal y como son.

Esto no quiere decir necesariamente que nos casemos siempre con la misma pareja ni que estemos vinculados eternamente a la misma familia y a los mismos amigos, aunque sí es posible que durante dos o tres vidas, consecutivas o no, nuestro aprendizaje vital se relacione con ellas.

Resulta por lo menos curioso que, por mucho que viajemos o cambiemos a lo largo de la vida, siempre tropecemos con personas, locales o extranjeras, con las que nos sentimos en familia y a las que parecemos conocer de toda la vida, a pesar de haberlas visto hoy mismo por primera vez y sólo durante cinco minutos.

Y es más curioso aún que el sentimiento de atracción, relación o rechazo sea bilateral.

De la misma manera, nuestros recuerdos de vidas pasadas nos llevan a portarnos mejor o peor con dichas personas, dependiendo de lo bien o mal que nos haya ido con ellas en pasadas reencarnaciones.

Los estados alterados de conciencia

Otra de las formas de recordar vidas anteriores es alterar nuestro estado de conciencia.

Los orientales, principalmente, recuerdan sus vidas anteriores por medio de la meditación.

Mientras que los occidentales recurren a la sugestión y al hipnotismo, disfrazados o no de viajes astrales o proyecciones mentales.

Como en otros casos, los estados alterados de conciencia no son del todo fiables al momento de establecer premisas sobre las vidas pasadas.

Uno de los principales problemas que ofrecen estos medios es la falta de lucidez de la persona que los experimenta.

Tanto la meditación como la hipnosis se acercan demasiado al sueño y, por lo tanto, las imágenes que reflejan se mezclan demasiado con las fantasías personales.

Y al igual que el bardo de los budistas tibetanos, la experiencia se llena de imágenes mentales producidas por la misma persona.

Estas imágenes están influidas la mayor de las veces por los problemas individuales, por los anhelos de ser y por las frustraciones, de la misma manera que pueden estar influidas por los aspectos positivos de la persona.

La mente es un filtro aparentemente sutil, pero es más denso de lo que creemos.

No hay que olvidar que nuestra mente está condicionada por los elementos sociales, geográficos y culturales de cada uno de nosotros, lo que nos lleva a deformar la realidad de lo que vivimos diariamente. Y si somos capaces de deformar lo que nos sucede diaria y realmente, mucho más capaces somos de deformar las experiencias subjetivas.

Estas formas de regresión nos llevan, por regla general, a vislumbrar nuestras vidas pasadas desde un prisma de dispersión donde vemos más lo que queremos ver, que lo que está sucediendo realmente. Es decir, que tendemos a engañarnos a nosotros mismos.

Por supuesto que no siempre sucede lo mismo y que hay personas que han llegado a conocer parte de sus vidas pasadas por estos medios, recabando datos que después pueden comprobar físicamente, como direcciones, documentos y fotografías. Pero estos casos son contados.

La mayoría de las veces, las personas dirigidas por un psicólogo sólo recuerdan traumas y dolores de sus vidas pasadas y raras veces lo hacen fuera de un marco cercano o de una imagen de película. Estas sesiones, lejos de reconfortar a la persona con la idea de la trascendencia vital, se convierten en un nuevo trauma doloroso.

Los que se someten a una regresión conducidos por un esoterista, generalmente se recuerdan como grandes o interesantes personajes de la historia y reflejan una parte de su personalidad escondida.

Las personas tímidas se recuerdan como arrojados guerreros; las que son inseguras emocionalmente se recuerdan como grandes amantes; las que son demasiado dependientes y viven sujetas a la familia o a la pareja, se recuerdan libres y fuertes; las que tienen una vena esoterista se recuerdan como brujos o sacerdotisas; las que tienen un trabajo medio, se recuerdan como jefes o emperatrices; y las pobres se recuerdan ricas, etcétera.

En suma, que se reflejen más deseos internos que vidas anteriores propiamente dichas.

Lo más curioso, aunque lo más normal, es que los puntos de vista difieran dependiendo del moderador, de la escuela esotérica y del estado de ánimo de las personas. Es más, una misma persona vista por dos videntes distintos (en caso de no hacer el experimento personalmente), obtendrá diferentes versiones y opiniones sobre sus vidas pasadas. Uno le dirá que vivió en la Atlántida (recurso muy utilizado), y otro le asegurará que vivió en la China milenaria.

Por su parte, las personas que buscan sus vidas pasadas a través del yoga y la meditación trascendental, o a través de cualquier otra técnica orientalista, se recuerdan en un alto porcentaje como monjes budistas (o algo por el estilo) en sus anteriores reencarnaciones.

Y todo esto sucede no porque las técnicas que alteran el estado de conciencia no sean válidas en esencia, sino porque conllevan una carga emotiva, manipuladora o proselitista, que distorsiona o engaña más de la cuenta a nuestro, ya de por sí influido y distorsionado, grueso filtro mental.

No niego que se pueda acceder así a cierta información de nuestras vidas pasadas, sólo apunto que alterando el estado de nuestra conciencia por medios externos antinaturales, tendemos más al autoengaño que a vislumbrar la verdad, al oscurecer nuestro entendimiento con el velo de la creencia o de la autocomplacencia.

Los rasgos físicos

La apariencia física de ciertas personas nos podría hacer pensar que la reencarnación de animal a hombre es perfectamente posible.

Los animales escogidos por el Buda y tan bien representados en el horóscopo chino, se reflejan a menudo en el carácter y la apariencia de muchas personas. Los rasgos del mono, el perro, el gallo y el caballo son habituales en nuestros rostros.

Quizá, y en cierta manera, hemos heredado parte del alma animal en nuestros seres. Muchos de nosotros somos capaces de hablar y relacionarnos con especies animales específicas en nuestros sueños, y posiblemente se deba a que una remota reencarnación fuéramos uno de ellos.

También heredamos ciertos rasgos raciales que no siempre corresponden con los de nuestro entorno, quizá porque en nuestra vida pasada pertenecimos a otro grupo racial.

Además de los rasgos raciales y animales, desde pequeños contamos con otros rasgos físicos que pueden ser heredados de una vida anterior, como cicatrices, deformaciones, recuerdos de heridas, tipo de cabello, conformación ósea y conformación muscular, que no se parecen en nada a los rasgos habituales de la familia, es decir, que no son presumiblemente genéticos.

Acompañando a estos rasgos físicos, aparecen gestos, habilidades, modos y maneras muy distintas de nuestro entorno, que podrían ser más el reflejo de una vida pasada que la formación ambiental otorgada por la sociedad y la familia.

Un niño nacido y educado entre pañales de seda puede ser un troglodita en la mesa a pesar de la educación recibida. Podrá reprimir sus malos modos, pero en cuanto nadie le vigile correrá a la cocina para comer con las manos y a escondidas, como si hubiera pasado mucha hambre, y quizá si la ha pasado, pero en su vida anterior.

Estos pequeños comportamientos que todos hemos tenido, o que tenemos, fuera de la educación habitual, del medio ambiente actual y de la genética heredada de la familia, son rasgos que pertenecen claramente a una vida anterior y que aprendimos o adquirimos en una existencia pasada.

Quizá no nos descubran como sacerdotes de Isis, pero son más fiables que una regresión sugestionada por nuestros valores actuales.

Los contactos espiritistas

Al menos por las experiencias personales que he tenido, los contactos espiritistas, ya sea a través de médiums o de la vilipendiada ouija, suelen ser bastante certeros en las primeras ocasiones.

Los fantasmas, espíritus errantes, dioses, demonios, elementales, jerarquías celestiales, espíritus juguetones, ángeles, extraterrestres, o simples reflejos de nuestro cuerpo mental que es lo que son realmente, suelen ser bastante atinados al hablarnos de nuestras vidas pasadas y de nuestro futuro cuando acudimos a ellos por primera vez o en las primeras sesiones.

Sus datos son certeros y hasta corroborables, pero si insistimos demasiado en recurrir a ellos terminan por fallar en todo, logrando nuestra desesperación, obsesión o incredulidad sobre sus primeros aciertos.

Y no es por culpa de los "espíritus" que pronósticos y datos vayan perdiendo certeza, sino por culpa de nuestro filtro mental que termina distorsionando con sus deseos la información que viene del "más allá"; al fin y al cabo, insisto, dichos espíritus no son otra cosa que el reflejo de nuestro propio cuerpo mental que entra en contacto con otra realidad, donde se encuentran otros reflejos de diversos cuerpos mentales pertenecientes tanto a personas vivas como muertas.

El caso

Si usted siente mucha curiosidad y quiere conocer un caso fidedigno de reencarnación, no tiene más que acercarse a un espejo y mirarse en él. Ante usted aparecerá el reflejo de una persona que ha reencarnado varias veces y que, a pesar de su temor, valor, o cuestionamientos acerca de la muerte, tiene un sentido inherente de pervivencia y eternidad en su ser, capaz de sorprenderse cada mañana de seguir en este mundo después de regresar de esa parcela cercana al más allá: el mundo de los sueños.

Haga un pequeño esfuerzo y recuerde los recuerdos de su infancia, no hace falta hipnotizarse para ello. En ellos reconocerá que su propia vida se prolonga más allá del nacimiento, de la misma manera que se prolongará más allá de la muerte.

No mire hacia atrás en busca de lo que no tiene, no lo encontrará aunque esté dispuesto a engañarse. No busque en sus vidas pasadas el esplendor de que carece en la presente, porque las vidas pasadas fueron lo que fueron, pero usted es quien es en la vida presente. Luche, crezca y construya en su actual vida, porque de momento es la única que tiene.

Además, sepa que usted siempre ha sido y será quien es, no importa las vestimentas que luzca en esta vida, las que haya lucido en vidas pasadas ni las que lucirá en futuras reencarnaciones, porque en esencia usted sigue siendo el mismo.

Las vidas físicas no son otra cosa que una manifestación del ser, y pueden ser gloriosas o ruinosas, inscribiendo en las páginas del mundo la experiencia personal, pero son incapaces de modificar el programa básico que las hace posibles: usted mismo, el caso de reencarnación más cercano y fidedigno.

BIBLIOGRAFIA ELEMENTAL

Atkinson, W. W. *La reencarnación o la ley del karma.* Edicomunicación, Barcelona.

Bailey, Alice *Tratado sobre los siete rayos* (5 vol.) Lucis, Buenos Aires.

Blavatsky, H. P. *La voz del silencio.* Kier, Buenos Aires.

Budge, W. *La religión egipcia.* Humanitas, Barcelona.

Libro egipcio de los Muertos, versión de A. Laurent. Edicomunicación, Barcelona.

Libro tibetano de los Muertos, versión del Lama Taunzang, Edaf, Barcelona.

Papus *La Reencarnación.* Edicomunicación, Barcelona

Rosenroth, Knorr de *Kabbala Denudata,* versión de S. L. Mac Gregor Mathers (*The Kabbalah Unveiled*). Routledge & Kegan Paul, Londres.

Vasconcelos, José *La raza cósmica.*

Walker, E. D., obra citada por Atkinson, W. W., en *La reencarnación o la ley del karma.*

INDICE

Prefacio 7
Introducción 11

CAPITULO PRIMERO
Breve historia de la reencarnación 13

CAPITULO SEGUNDO
La interpretación de la reencarnación 39

CAPITULO TERCERO
La reencarnación en la interpretación de los textos antiguos 49

CAPITULO CUARTO
Reencarnación y raza 57

CAPITULO QUINTO
Reencarnación y patria 79

CAPITULO SEXTO
Reencarnación y astrología 85

CAPITULO SEPTIMO

La reencarnación individual 93

CAPITULO OCTAVO

¿Cómo es el Más Allá? 119

APENDICE

Los casos de reencarnación 133

Bibliografía elemental 157